Journal de bord d'une élue en pays FN

Elsa Di Méo

avec la collaboration de Lilian Alemagna

Journal de bord d'une élue en pays FN

Stock

Parti pris

Couverture Claire de Torcy

ISBN 978-2-234-07923-6

Pour Ilyes et Léo
À la mémoire de Marius et René

Personne ne naît en haïssant une autre personne à cause de la couleur de sa peau, ou de son passé, ou de sa religion. Les gens doivent apprendre à haïr, et s'ils peuvent apprendre à haïr, on peut leur enseigner aussi à aimer, car l'amour naît plus naturellement dans le cœur de l'homme que son contraire.

Nelson Mandela, *Un long chemin vers la liberté*

AVANT-PROPOS

Comment parler du Front national ? Depuis sa naissance en 1974, la question traverse les rédactions. Faut-il inviter Jean-Marie Le Pen à la télévision ? Peut-on accepter que l'extrême droite ait droit à la parole si on considère qu'elle est un danger pour la démocratie ? La plupart des médias ont depuis longtemps répondu à cette question : ses responsables font partie des personnalités politiques les plus invitées sur les plateaux.

À *Libération,* où je travaille depuis 2009, nous avons une règle non écrite : nous traitons du Front national mais nous n'acceptons pas de publier d'interviews de ses responsables politiques et encore moins de sa présidente, Marine Le Pen. Cette règle est régulièrement discutée entre nous. Nous en débattons à l'occasion de chaque campagne présidentielle. Pourquoi ce choix ? Pour bien signaler que ce parti n'est pas une formation politique comme une autre et que de par son histoire et son programme, il remet en cause les fondements de notre République. C'est une manière pour le journal d'opinion, de gauche, que nous sommes, d'afficher qu'il est hors de question pour nous de banaliser comme d'autres confrères les idées du Front national.

Au cours de l'année 2014, Elsa Di Méo m'a proposé un projet : raconter dans un livre son expérience du Front national à Fréjus. Au-delà des quelques échanges concernant le Parti socialiste et sa campagne municipale à Fréjus, nous ne nous connaissions pas. Alors qu'à gauche beaucoup de responsables politiques se sont attachés à décrypter les propositions du FN, le fait de faire témoigner une responsable politique de gauche de son quotidien dans une ville administrée par le Front national m'a convaincu de participer à cet ouvrage.

J'ai grandi à Toulon. Le Front national était à la mairie. Je sais combien il est inutile, pour combattre la montée de l'extrême droite, de traiter les habitants d'une ville FN de « fachos ». Comme si la culpabilité changeait leur vote au coup d'après. Je crois, au contraire, bien plus efficace de s'attacher à éclairer les citoyens sur ce qu'est, dans la réalité, une collectivité dirigée par le Front national : les arrangements, la discrimination, la stigmatisation de catégories de la population, les attaques à la culture, l'entretien d'un climat nauséabond, de division, pour tenter de mieux s'assurer une réélection.

Ce travail a duré près de six mois. Une quinzaine d'entretiens en tête à tête basés sur l'expérience d'Elsa Di Méo comme opposante locale à Fréjus. Ses souvenirs et ses carnets de notes ont été transformés en un journal de bord reprenant ces « choses vues et entendues » dans sa ville. Ses interrogations aussi. Des questions posées, aucune n'a été évitée ni mise de côté. Les réponses ont trouvé leur place ici, dans ce récit. Comme un instrument de plus dans le combat de la gauche contre le Front national.

LILIAN ALEMAGNA

I

La bataille a commencé

C'est un soir d'automne à Paris. Je participe à un de ces « dîners en ville » dans la capitale. Autour de la table : de hauts responsables politiques. Tous socialistes. Les plats se succèdent, puis quelqu'un aborde le sujet « Front national ». Ce camarade raconte combien il est dur de prendre en défaut le « FN de Marine Le Pen ». Selon lui, ses maires élus en mars 2014 ne font « aucune erreur » dans leurs municipalités, contrairement aux expériences ratées des années 1990 à Toulon ou Vitrolles. On ne pourrait donc plus attaquer l'extrême droite sur la gestion des affaires locales. Entre fromage et dessert, les autres convives m'expliquent que je me trompe sur ce que je vis à Fréjus depuis l'élection du FN David Rachline à la mairie il y a quelques mois. Ils me disent l'impossibilité de se battre contre ce Front national soi-disant « new-look ». Je reste sans voix.

Cette anecdote n'est pas la seule. Depuis 2011 et la prise de pouvoir de Marine Le Pen, je ne cesse d'entendre des amis de gauche reprendre malgré eux des éléments de la communication du Front national.

Ce dîner a surtout achevé de me convaincre de raconter ce qu'il se passe dans ma ville, Fréjus. De porter à la connaissance de tous la réalité d'une ville dirigée par le FN en 2014. Non, le FN, même repeint en « bleu Marine », n'a pas changé. Sa vision de la société est, au fond, la même que celle portée par Jean-Marie Le Pen dans les années 1990 : stigmatisation des centres sociaux, de certains quartiers, de certains Français qui seraient moins français que d'autres... Ce dîner m'a encouragée à témoigner de ce que l'on vit au quotidien à l'école, dans les quartiers, au supermarché. À décrire ce qu'il en est lorsqu'un homme politique d'extrême droite s'assied dans le fauteuil du maire : le racisme, la xénophobie et les discriminations ne sont plus considérés comme des délits par une partie de la population mais deviennent des réflexions banales.

Depuis l'élection de David Rachline à la mairie de Fréjus, je note sur mes carnets des anecdotes vécues ou racontées par des proches ou des parents d'élèves croisés à la sortie des classes. Je les ai transformées en journal de bord, convaincue qu'il faut consigner cette réalité. Je livre ici ma vérité sur le Front national d'aujourd'hui, sur ce qui se déroule dans ma ville, très loin de l'image transmise par les médias. Les scores de l'extrême droite aux municipales et aux européennes de 2014 prouvent que la France n'a pas tiré les leçons du 21 avril 2002. La gauche n'a pas analysé sa débâcle. Ma famille politique doit réagir, prendre conscience du danger de l'extrême droite dans le pays. Dès lors que l'on dit « la gauche peut mourir » et « Marine Le Pen peut gagner », comment stopper la progression du FN ? Les municipales et les européennes ont été un séisme, qui en annonce d'autres : les régionales de 2015 et la présidentielle de 2017. L'erreur de 2002 est d'avoir cru que la victoire du Front national dans quelques villes du Sud en 1995 n'était liée qu'à des situations locales. C'était un mouvement plus profond de la société française. Fréjus, le Sud, ne sont pas des cas à part. Ces victoires préfigurent aujourd'hui ce dont est capable l'extrême droite en France : arriver au pouvoir.

*

Fréjus n'avait pourtant rien d'une municipalité prédestinée à élire un maire Front national. Cette ville fondée en 49 avant J.-C. par les Romains pour y installer un port ouvert sur la Méditerranée a toujours été marquée par les échanges : commerciaux d'abord, touristiques et migratoires par la suite. Quatrième commune du Var aujourd'hui avec plus de 50 000 habitants, elle a connu, comme beaucoup de villes en France, une immigration de travail venue dans un premier temps du sud de l'Europe puis du Maghreb voisin. L'Algérie devenue indépendante en 1962, beaucoup de rapatriés des ex-départements français sont venus s'installer à Fréjus. Ils y font vivre une culture très forte et pèsent dans les résultats électoraux : près de 20 % des inscrits sur les listes électorales sont issus des ex-colonies française. Mais malgré cette tradition d'échanges et l'avantage d'être une ville importante du sud-est de la France, la commune est restée fermée sur son identité.

Beaucoup d'habitants estiment malheureusement que « l'heure de gloire » de Fréjus est passée. Pour eux, les vingt années (1977-1997) durant lesquelles François Léotard a dirigé la ville représentent un certain âge d'or de la commune. Sur l'axe Marseille-Toulon-Nice, c'était Fréjus qui attirait et non sa voisine Saint-Raphaël ou bien la sous-préfecture du Var, Draguignan. Ses habitants y voyaient un endroit qui brille sur la Côte d'Azur, même si la ville n'a jamais eu la renommée de Saint-Tropez ou le standing de Cannes. Et puis, pour ces gens-là, ce fut un vrai honneur pour une ville d'armes comme Fréjus[1] d'avoir pour maire

1. La commune abrite le 21e régiment d'infanterie de marine – 1 000 hommes –, premier régiment français à avoir été envoyé au Mali ou en Afghanistan.

un ministre de la Défense, entre 1993 et 1995. Qui plus est ministre d'État. On qualifiait alors François Léotard de « bon père de famille ». Son successeur avant l'arrivée du Front national, Élie Brun, a aussi eu droit à ce titre. Leurs administrés n'étaient pas émus des méthodes clientélistes, sur fond d'affairisme local, dont la ville paie encore les conséquences.

La municipalité est aujourd'hui dans une situation financière compliquée car de mauvais choix ont été faits. Fréjus n'est pourtant pas une ville pauvre. Certes, le revenu médian est dans la moyenne basse de la région, des retraités ne sont pas très argentés et le taux de chômage est dans la moyenne régionale, mais lorsque la droite dirigeait la ville, non seulement la fiscalité n'a pas été utilisée intelligemment mais les équipes dirigeantes ont gaspillé les terrains à leur disposition. En lançant des opérations immobilières et commerciales à Port-Fréjus dans l'idée de renouer avec l'histoire antique de la ville, François Léotard et Élie Brun ont choisi de mener une politique d'urbanisation qui a coûté cher, au propre, comme au figuré. S'il est difficile de chiffrer le coût définitif de Port-Fréjus 1 au vu des nombreuses procédures en justice et amendes, la deuxième phase a été estimée à 28 millions d'euros. Comme l'a noté la Cour de comptes, sans budget annexe pour ces opérations, difficile de détailler la réalité financière pour les Fréjusiens. Presque 20 ans après Port-Fréjus 1, Élie

Brun déclarait ne pas voir soldé les dettes de la première phase mais se précipitait pour lancer la deuxième phase. Le béton coulé a défiguré cette partie de la ville[1].

Sur fond d'affairisme et de déchéance de la droite locale, un mauvais sentiment de « déclin » a, petit à petit, enveloppé Fréjus. La crise économique de 2008 en est aussi responsable : ici, un des premiers pourvoyeurs d'activité reste le bâtiment et les travaux publics, très dépendants de projets financés par des collectivités locales dont les budgets sont en baisse. La ville vieillit aussi. Les études démographiques estiment que d'ici à 2040 un Fréjusien sur deux aura plus de 60 ans. Une absence de dynamisme local sur fond de tissu social délité et d'identités locales très fortes d'une population dont une partie fantasme sur une prospérité révolue… Une piste d'atterrissage rêvée pour le FN. Dans l'histoire récente, Fréjus s'est fait connaître pour trois choses hors des frontières varoises : le drame du barrage de Malpasset[2], l'ascension et la chute de François Léotard et,

---

1. Pour recréer le port romain de l'époque antique, François Léotard et son adjoint d'alors à l'urbanisme, Élie Brun, décident d'aménager un port jusqu'au centre-ville. La municipalité rachète des terrains, exproprie des habitants et certains travaux seront facturés très chers aux entreprises. En 1995, le Conseil d'État a jugé illégale la construction de cette marina qui ne respectait pas la loi littoral.

2. Le 2 décembre 1959, la rupture d'un barrage construit sur l'Argens, en amont de Fréjus, provoque le déferlement d'une

aujourd'hui, l'élection du premier sénateur-maire d'extrême droite sous la Ve République.

*

Je suis née il y a trente-trois ans. Mes arrière-grands-parents et mes parents ont vécu et grandi à Fréjus. J'ai commencé à m'engager très tôt. À 8 ans, je faisais des pétitions pour sauver les animaux. À la faculté d'Aix-Marseille où j'ai étudié les langues étrangères appliquées je me suis investie dans l'Unef. D'abord en organisant une campagne contre les frais d'inscription illégaux. Puis je me suis occupée de ce qui va devenir le fil rouge de mon engagement politique : la lutte contre le Front national. J'ai piloté des « comités contre l'extrême droite » dans les facultés des universités d'Aix-Marseille, avant mon premier choc politique : le 21 avril 2002. Je participe alors à l'organisation des mouvements étudiants contre Jean-Marie Le Pen dans l'entre-deux-tours de la présidentielle. Cette vive émotion que nous, les jeunes, éprouvions, se manifeste pendant dix jours dans les rues d'Aix-en-Provence

---

cinquantaine de millions de mètres cubes d'eau après de fortes précipitations. Cet accident cause la mort de 423 personnes et des dégâts matériels très importants. Il s'agit d'une des plus grandes catastrophes civiles en France au XXe siècle.

et de Marseille. Remarquée par des journalistes, je suis invitée sur le plateau du magazine politique de France 2 *Complément d'enquête*. Je débats notamment avec la socialiste Martine Aubry et je suis assez dure à l'encontre de l'ex-ministre de Lionel Jospin. Je rends responsable son gouvernement de ne pas avoir donné aux jeunes l'occasion de se « retrouver » dans cette gauche, il lui manquait une dimension, une vision, pour nous mobiliser, nous faire rêver. Nous avions le sentiment d'une gauche qui n'était pas fière d'être de gauche. Après l'émission, en partant, Aubry s'arrête et me dit : « OK… Et toi, tu fais quoi ? On a besoin de jeunes comme toi au PS. » J'étais proche du Parti socialiste, mais je refusais d'y adhérer. À la suite du 21 avril, j'ai pris ma carte, chez moi, à la section de Fréjus.

Dans ma ville, un autre jeune est marqué par ce même 21 avril. Il s'agit de David Rachline, aujourd'hui sénateur-maire de Fréjus. À cette date, il a 14 ans, mais pour lui aussi c'est une révélation politique. Il raconte aujourd'hui avoir été « subjugué » par Jean-Marie Le Pen, et prendra sa carte au Front national de la jeunesse (FNJ) dans la foulée. À gauche, nous avons trop longtemps regardé l'élimination de Lionel Jospin comme le point de départ de l'adhésion de nouveaux jeunes au PS. Mais cette victoire de Jean-Marie Le Pen et les grandes manifestations anti-FN qui ont suivi sont aussi un marqueur important d'une jeune génération frontiste qui franchit le pas de l'engagement. Pour elle, l'arrivée au pouvoir du Front national devient possible. David Rachline, né à Fréjus, en fait partie. Sénateur-maire de 27 ans, il est un des élus médiatiques du FN, du premier cercle de Marine Le Pen. Son univers est celui de Jean-Marie Le Pen et du polémiste antisémite Alain Soral avec qui il a participé à un ouvrage collectif sur l'idéologie d'extrême droite[1]. Lorsqu'il était au lycée, j'y étais surveillante. J'ai vu alors un garçon très insolent, mal dans sa peau, plutôt seul. Il était aussi connu comme un « petit faf » qui assumait sans complexes des propos d'extrême droite. Un de ses professeurs me racontait que beaucoup de ses collègues avaient peur de ce qu'il allait dire lorsqu'il levait la main, il aimait déjà la provocation. Mais lorsqu'il rentre de Paris en 2008, David Rachline revient avec un discours rodé dans des formations dispensées au siège du FN. Il a compris que, s'il veut gagner à Fréjus et représenter le parti des Le Pen, il ne peut plus renvoyer une image de petit facho. Il garde tout de même un trait fort de son caractère : il ne doute de rien.

*

1. Christian Bouchet, *Jeunes Nationalistes d'aujourd'hui*, Determa, 2008.

Aujourd'hui chef de file de l'opposition de gauche à David Rachline à Fréjus, je veux mettre ici en lumière les raisons qui, en dix ans, ont permis au Front national de « prendre » ma ville. Parce que rien n'est inéluctable si on relève la tête et que l'on prend le temps de le qualifier[1], de l'analyser. Je n'en peux plus du traitement médiatique réservé à Marine Le Pen. J'en ai marre qu'on m'explique qu'il y a « le FN qui fait n'importe quoi » dans une ville de l'est de la France comme Hayange et « le FN qui est propre sur lui », chez moi, à Fréjus. C'est faux. Rares sont les médias qui parlent des centres sociaux fermés dans les quartiers défavorisés, et remplacés par des policiers municipaux. Ou ceux qui rapportent la baisse du budget scolaire par enfant quand celui de la sécurité augmente. Je vois très peu de journalistes décrire ce phénomène d'apartheid qui se crée à la piscine municipale ou à la cantine du lycée. Je reproche aux médias de ne pas faire de l'information mais de venir chez nous raconter leur histoire déjà scénarisée : celle d'un « nouveau FN ». David Rachline a changé la vitrine mais gardé la boutique du grand-père Le Pen avec ses idées de droite les plus extrêmes

1. Comme le démontre Sarah Proust in *Le Front national : le hussard brun contre la République*, Le Bord de l'eau, 2013.

II

Racisme quotidien

Depuis l'arrivée de Marine Le Pen à la tête du Front national, on raconte trop souvent que ce parti « a changé ». Qu'il ne serait plus le même que sous son père. Que cette formation politique pourtant bien ancrée dans l'histoire de l'extrême droite française ne serait plus raciste ni xénophobe puisqu'elle accepte dans ses rangs des militants de toutes origines et de toutes religions. Pourtant, à Fréjus, je peux témoigner d'une vraie libération de la parole raciste et d'actes quotidiens de stigmatisation de la population maghrébine.

*

C'est un jour de mai, deux mois après l'élection de David Rachline. À la caisse de mon boucher, l'employée, qui me connaît, me raconte que sa fille a acheté une voiture et que, le lendemain, quelqu'un avait inscrit avec son doigt sur le pare-brise : « Ici c'est le FN. » Cette femme n'en revenait pas qu'on puisse exprimer ainsi le rejet de ses enfants qui, pourtant, sont nés ici. Cette violence, un ami l'a aussi vécue dans la file d'un supermarché où deux clientes ont commencé à le regarder, puis à soupirer. Il leur demande ce qu'il se passe, pourquoi elles sont agacées. « Qu'est-ce qu'il veut l'Arabe ? Il n'a qu'à rentrer chez lui... » lui ont-elles répondu. Des situations comme celles-ci sont quotidiennes à Fréjus : une semaine après les élections municipales, je dépose mon fils à l'école, une maman m'arrête, un peu essoufflée.

– Ça y est ! Ça commence ! me dit-elle.

– Quoi ?

– J'ai traversé au passage piéton et on m'a klaxonnée en me disant : « Rentre chez toi on a gagné ! »

Avant l'arrivée du FN à la mairie de Fréjus, ce genre de discours était latent. Mais personne ne tenait ce type de propos de manière aussi ouverte. On savait qu'une partie de la population n'appréciait pas les Maghrébins. On avait senti, ces dernières années, que le racisme montait. Cela déterminait de plus en plus de comportements. Mais ces habitants se retenaient. La société ne tolérait pas de tels propos ou de tels actes, comme c'est le cas aujourd'hui depuis l'élection du FN.

Une commerçante originaire d'Afrique du Nord mais blanche de visage m'a confié : « Vous n'imaginez pas madame Di Méo la déferlante de haine raciste de mes clients ! Quand ils ont appris mon prénom, j'en ai un certain nombre qui sont plus venus. »

Un jour où j'attendais pour acheter mon journal dans une maison de presse, la commerçante lance au client devant moi : « C'est bien… Le FN va nous nettoyer de ces Arabes. » Au début, je m'étais souvent demandé si ceux qui me racontaient ces histoires ne n'exagéraient pas. Malheureusement non.

En octobre 2014, une association a réagi en faisant le tour des commerces pour qu'ils accrochent une affiche : « Le racisme n'est pas une opinion, c'est un délit. » Même les commerçants issus de l'immigration n'ont pas voulu, par peur de représailles.

Le plus glaçant est peut-être ce qui se passe à la piscine municipale. Des travailleurs sociaux m'ont raconté que, lorsqu'ils accompagnent les enfants d'un quartier sensible de Fréjus, on ne leur donne pas accès aux mêmes jeux et activités que les autres gamins. Cette situation avait commencé sous l'ancien maire de droite, mais perdure d'autant plus que le Front national dirige la ville. De fait, c'est une logique d'apartheid, de ségrégation. Comment voulez-vous que des enfants ne basculent pas dans la violence lorsqu'on les exclut de la sorte ?

À Fréjus, les électeurs du Front national savent pourquoi ils votent pour ce parti. Un samedi matin de septembre, je participais avec d'autres militants à une distribution de tracts sur un marché populaire. Une dame m'a jeté à la figure :

– Ah ça non ! Je ne veux pas vivre ensemble avec eux ! Ça non !

Je lui ai répondu :

– Avec qui madame ?

Elle m'a dit sans complexe :

– Vous savez bien ! Avec eux ! Les Arabes !

Ce discours reste le fond de sauce du Front national. Si David Rachline est arrivé à la mairie, c'est qu'il est en adéquation avec cette montée du racisme. Pendant la campagne, il ne s'est jamais caché. Ses électeurs non plus. En faisant du porte-à-porte un soir, je suis tombée sur l'un d'eux. La discussion s'est plutôt bien passée. J'ai pris le temps de lui demander pourquoi il votait FN.

– Parce qu'on n'est plus chez nous, m'a-t-il répondu.

– Ah bon ? C'est-à-dire ?

– Eh bien à l'école, mon fils, on l'empêche de manger du jambon. Dans les menus, il n'y a plus de porc, c'est pour faire plaisir aux Arabes.

Ce n'est pas la première fois que je me retrouvais face à quelqu'un qui croyait tout ce que racontaient nos adversaires d'extrême droite. Je lui ai expliqué alors que « dans toutes les écoles, il y a des jours où il y a du jambon, des côtes de porc, et il y a des repas de substitution pour ceux qui n'en mangent pas ». Mais l'homme n'en démordait pas :

– Je sais que vous me mentez parce que vous êtes de la gauche, vous ne voulez pas me le dire.

– Non monsieur, mon fils mange à la cantine aussi, je regarde les menus.

– Je sais ce que je dis, ça sert à rien de me mentir, on me l'a dit, c'est pour faire plaisir aux Arabes.

– Et vous lui avez demandé, à votre fils, s'il mange du jambon ?

– Non mais je sais ce que je dis.

– Regardez quand même, vous serez surpris.

– Pas la peine. Je sais. C'est pour ça que je vote FN.

Une semaine après la victoire du FN, une amie était sur son balcon quand ses voisins ont commencé à déblatérer : « On est chez nous maintenant. Rachline va les mettre dehors. » Six mois après, ces mêmes personnes étaient déjà en train de se plaindre parce que le maire n'avait toujours pas pris de mesure concernant la mosquée. On entend aussi dire qu'il faut faire « disparaître les kebabs ». Mais il y en a à peine deux en centre-ville ! Il y a une certaine envie d'en découdre avec des « Arabes » qu'on ne veut pas voir investir le cœur de ville. C'est une stratégie de provocation. La municipalité a par exemple décidé de couper la lumière sur le stade du quartier de la Gabelle pour éviter que les jeunes puissent se rassembler le soir. Mais comment font-ils pour jouer ? Pendant le ramadan, une association a voulu utiliser le stade pour organiser une « soirée ramadanesque » de rupture du jeûne, pour manger ensemble, se retrouver… Ça leur a été refusé. David Rachline a appelé le directeur du centre social pour lui demander directement : « Je peux savoir ce que c'est *ramadanesque* ? » Le ton employé par le maire signifiait clairement qu'il ne voulait « pas de ça » dans sa ville.

Un autre jour, sur un marché, une de mes colistières, franco-algérienne, s'est retrouvée face à un militant de David Rachline. Elle a discuté avec lui du rapport qu'il avait aux personnes issues de l'immigration :

– Le problème, lui a-t-elle dit, c'est qu'il y en a beaucoup, comme moi, qui ont une pièce d'identité. Française…

– Eh bien on vous virera de la ville, lui a balancé ce proche du maire, aujourd'hui élu dans la majorité municipale. On vous mettra tous ensemble quelque part, on trouvera un endroit pour vous mettre.

– Vous allez nous déplacer ? Nous parquer ? lui a-t-elle demandé.

– Oui.

Si la parole raciste s'est autant libérée et que ce mécanisme d'apartheid s'est mis en marche, c'est aussi à cause d'un certain renoncement collectif. Les pouvoirs publics n'ont pas empêché les premiers phénomènes d'exclusion apparus bien avant l'arrivée du FN en mairie. Il y a quelques mois, en tant qu'élue régionale, j'ai été confrontée lors du conseil d'administration d'un lycée, dans lequel je siège, à une histoire incroyable. À Fréjus, nous avons deux lycées, un professionnel et un d'enseignement général. Un pont relie les deux établissements. La région a payé un self-service neuf pour la cantine du lycée professionnel. Du coup, les demi-pensionnaires des deux écoles sont invités à y faire leur pause-déjeuner. Mais les parents des élèves du lycée général ont refusé de manière catégorique de faire déjeuner leurs enfants dans l'autre lycée. Après plusieurs tentatives infructueuses de négociation avec les parents, le proviseur du lycée général a fini par demander un lieu au sein duquel ses élèves pourraient manger parce qu'ils ne voulaient pas aller avec « les Arabes du lycée pro ». Du côté des élus, nous avons tenu bon. Sauf l'ancien maire, Élie Brun, qui a autorisé une baraque à sandwiches devant le lycée général. Et peu à peu, un autre lieu pour que les enfants puissent apporter leur repas a été aménagé dans une salle. La mixité sociale n'est plus acceptée.

Il n'y a pas que dans les établissements ou sur les marchés que ce racisme se manifeste. Il y a aussi sur les réseaux sociaux. Y compris sur la page Facebook du maire : « Nous Français nous sommes contents d'avoir David Rachline comme maire, c'est tout ce qui compte. Si elle n'est pas contente, l'autre, elle n'a qu'à se faire rapatrier. Comme ses enfants sont, d'après elle, franco-algériens. Allez ouste du balai[1]. » « Elle », « l'autre », c'était moi. Ces propos, le maire les a fait retirer de sa page personnelle au bout de… vingt et une heures. Une éternité sur la toile.

La droite a une responsabilité importante dans ce flot de paroles racistes. Elle a ouvert les vannes de la discrimination. L'ancien maire, Élie Brun, est le premier à avoir raconté que je refusais d'utiliser le nom de mon mari – Belkhodja – parce que soi-disant j'avais « honte ». Dans un registre aussi raciste que misogyne, il m'appelait également « Mme Belkhodja » lorsqu'il se sentait acculé en conseil municipal. Depuis qu'il est maire, David Rachline fait la même chose. Lorsqu'il veut donner une connotation raciste aux attaques contre moi, il m'appelle « Belkhodja ». Pourtant, il a trois femmes mariées dans son équipe qui utilisent leurs noms de jeunes filles. Déjà, lors

1. « Facebook du maire FN de Fréjus : le commentaire qui dérape », Nicematin.com, 3 juillet 2014.

de la mandature précédente, l'extrême droite locale avait lancé une campagne d'affichage dans les lieux associatifs, où j'étais affublée d'un voile qui ne laissait deviner que mes yeux. Ils avaient repris une photo de campagne des élections cantonales et avaient réécrit mon nom en « Elsa Belkhodja » en gros. J'ai porté plainte. Le policier qui l'a enregistrée ne voyait même pas le problème... Malheureusement, très peu de personnes osent aller voir la police. Or avec ce que nous vivons au quotidien, à Fréjus, il devrait y avoir dix plaintes par jour au commissariat.

J'étais persuadée que des citoyens seraient suffisamment indignés pour dire qu'il est inacceptable que des responsables politiques tiennent de tels propos. Depuis la victoire du FN, j'ai du mal à trouver ces personnes-là. Sont-elles lâches ? Peut-être. En tout cas, la lepénisation des esprits fonctionne. Quand, en France, 70 % de gens pensent qu'il y a trop d'aides sociales pour les immigrés, à Fréjus il doit y en avoir 85 %... Ceux qui, comme moi, pensent l'inverse sont minoritaires. Certains baissent la tête. Certains préfèrent se dire qu'il vaut mieux « faire le dos rond », « ne pas alimenter le FN »... Faudrait-il donc se renier ? Ne pas répondre ? À Paris, j'entends beaucoup de responsables socialistes se demander s'il est bien utile de qualifier ces actes de « racistes », car cela « stigmatiserait » ces électeurs. J'entends ces réticences mais je les trouve décalées avec ce que l'on vit à Fréjus. Et plus je discute avec d'autres personnes et plus je constate que ce racisme-là se manifeste dans toute la France. À force de se poser la question de savoir si « on se bat correctement », on arrête de se battre. Je préfère mal me battre mais avoir tenté de le faire.

À Fréjus, ceux qui sont « stigmatisés », ce sont les victimes de racisme. Pourquoi la gauche, puisqu'elle est au pouvoir, tarde-t-elle à lancer une grande campagne de lutte contre les discriminations ? Nous avons peur de nous-mêmes. Nous sommes aujourd'hui paralysés à l'idée d'être traités de « bien-pensants » par une partie de la droite et de l'extrême droite alors que nous rappelons la loi. Une des priorités de l'ex-ministre délégué à la Ville, François Lamy, était la lutte contre les discriminations. Le président de la République François Hollande a annoncé en janvier 2014 qu'il ferait « de la lutte contre le racisme et l'antisémitisme une grande cause nationale ». Très bien, à condition que les actes et les moyens suivent. Car depuis 2012, très peu d'actions sur le sujet ont été menées par l'État, par exemple dans le Var. Tout a été arrêté il y a six ou sept ans lorsque le précédent gouvernement, sous la présidence de Nicolas Sarkozy, a supprimé les crédits. Or il est temps de mener une contre-attaque idéologique face à une vision qui se développe au sein de la population et sape les fondations de notre République.

« Faut-il dire aux électeurs du FN qu'ils sont racistes ? » Cette question m'est souvent posée. À chaque fois, je réponds : « Mais à votre avis ils sont racistes ou pas ? » On me répond « oui » sans aucune hésitation. Je raconte alors une anecdote vécue pendant la campagne municipale : un jour, notre secrétaire de section collait des autocollants en centre-ville. Un homme s'est arrêté et lui a balancé : « Vous, vous êtes le parti des Arabes ! » Eh bien si aujourd'hui nous sommes un peu le « parti des Arabes », au moins nous serons du côté de ceux qui sont victimes de discriminations. Je ne souhaite pas que la gauche ait une logique communautariste ou uniquement de défense des minorités. Par contre, j'estime qu'elle doit rester du côté de ceux qui souffrent.

III

HARO SUR LES CENTRES SOCIAUX, FEU SUR LA MOSQUÉE

À leur arrivée en mairie, David Rachline et son équipe ont été assez prudents. Ils ont fait très attention à ne pas prendre de mesures phares, trop visibles par les médias, comme certaines mairies Front national l'avaient fait par le passé. Ils n'ont pas essayé d'appliquer la préférence nationale pour les aides sociales comme à Vitrolles en 1997. En revanche, David Rachline a tout de suite visé les centres sociaux qui travaillent dans les quartiers difficiles de la ville.

*

Le maire sortant, Élie Brun, n'avait pas préparé le budget de la commune avant de quitter son poste. À son arrivée à la tête de la municipalité, David Rachline a dû s'y coller. Il a reçu un certain nombre d'associations mais aucuns centres sociaux, qui recevaient pourtant entre 250 000 et 300 000 euros par an. Sans sommation, les dirigeants de ces structures ont appris que leurs associations allaient perdre entre 46 % et 65 % de subventions municipales[1]. Autant dire, mettre la clé sous la porte... Pour protester, deux directeurs de ces centres ont fait savoir dans les médias qu'avec une telle amputation ils auraient du mal à remplir leurs missions, qu'ils allaient devoir licencier et qu'ils s'inquiétaient de l'ambiance raciste en train de se développer dans la ville. Mais le 2 septembre, alors que se prépare l'université d'été du Front national de la jeunesse organisée à Fréjus, David Rachline, via sa page Facebook, annonce que « le partenariat entre la Ville et l'association gestionnaire du centre social de Villeneuve prendra fin au 31 décembre » 2014. Il dénonce « un centre socialiste » et explique que « les moyens publics mis à disposition d'une association n'ont pas vocation à cautionner de la propagande politique ». Toujours sur sa page Facebook, David Rachline est allé jusqu'à calomnier la directrice en disant que son centre faisait « de la politique avec l'argent de la mairie et des Fréjusiens ». Il terminait sa phrase avec

1. « Subventions : les centres sociaux de Fréjus au pain sec », *Var Matin*, 16 mai 2014.

« #MafiaSocialiste[1] ». Le maire a expliqué qu'il avait d'autres projets, qu'il prévoyait d'utiliser le budget de ce « faux centre social » pour des « animations populaires dans ce quartier » et comptait récupérer les locaux pour en offrir la moitié à la police municipale.

Pourquoi David Rachline a-t-il fait ça ? Pour satisfaire très vite un électorat qui a besoin de boucs émissaires et ne supporte pas qu'on puisse « donner de l'argent aux Arabes ». Une vision dogmatique de la politique sociale, la même portée par l'extrême droite dans les années 1930 : protectionnisme et interventionnisme social vont de pair avec la logique de « préférence nationale » du FN. David Rachline veut conduire une politique sociale conforme à son idéologie lepéniste : certains enfants ne seront plus accueillis dans ce centre, des activités classiques viendront remplacer les projets sociaux de vivre-ensemble qui avaient été mis en place dans un objectif pédagogique. Par exemple, les activités couture et gym des retraités seront maintenues mais on ne fera plus l'apprentissage de la démocratie et de la citoyenneté pour les enfants de 9 à 16 ans. David Rachline compte jouer sur ce sentiment du « moi je paie et c'est les enfants des autres qui en profitent ». Pour lui, il n'y a pas de raison que les quartiers populaires de la

1. « À Fréjus, le maire a fait une croix sur le centre social », Liberation.fr, 10 septembre 2014.

Gabelle ou de Villeneuve aient plus d'argent que celui, plus bourgeois, de Fréjus-Plage. Il surfe sur la fin de la solidarité municipale et en profite pour installer durablement son pouvoir dans ces quartiers. Pour cela, le maire a besoin de contrôler ces lieux municipaux, de les mettre au pas. Or, des associations indépendantes avec conseils d'administration – comme c'est le cas pour ces centres – lui posent plus de problèmes que de simples antennes municipales qu'il pourrait manier à sa guise. Les précédents maires, Élie Brun et François Léotard, ont traité ces quartiers avec paternalisme. David Rachline a l'intention de faire la même chose, excluant en plus, certains enfants. Il sait où il va. Depuis le début.

Durant les deux dernières années du mandat d'Élie Brun, David Rachline est intervenu en conseil municipal exclusivement sur des questions qui touchaient le quartier de la Gabelle. Transfiguré par sa détestation des habitants de cette partie de la ville, il tentait de démontrer que tous les moyens de la municipalité y étaient concentrés. Ce qui, bien sûr, était faux… L'argent utilisé venait du département, de l'État, de la région. Ces sommes n'auraient jamais pu être utilisées pour d'autres quartiers bien moins en difficulté. « Nos impôts servent à payer ça », répétait-il. Dans ses attaques contre les centres sociaux, il a clairement repris le discours tenu en leur temps par les maires FN de Vitrolles, Marignane ou Toulon. La vision de centres sociaux qui permettent l'émancipation individuelle, l'apprentissage de la citoyenneté, n'est pas la sienne. Le nouveau maire de Fréjus veut de l'activité « occupationnelle », comme disent les animateurs. C'est-à-dire qui ne porte pas de vision globale du vivre-ensemble. Il est aux antipodes de la construction d'un projet éducatif émergeant des besoins de la population et du quartier. Les centres sociaux sont bien plus que des prestataires d'activités. Ils sont des lieux de vie et de partage. En cela, ils gênent l'extrême droite dans sa stratégie de fragmentation de la ville.

Mis à part cette question des centres sociaux, l'équipe FN peut aller très loin dans le discours. Notamment sur la préférence nationale. Lors de ses vœux à la population du 9 janvier 2015, alors que l'émotion était à vif suite aux attentats, David Rachline s'est emporté en prônant la préférence locale et nationale « face aux migrants échoués sur les côtes italiennes ». Peu importe qu'aucun n'ait jamais tenté d'obtenir un logement social. Les relents racistes et xénophobes de son propos lui ont permis d'être ovationné. Jusqu'ici, devant leurs électeurs, les responsables FN se bornaient à expliquer qu'ils n'avaient pas le pouvoir d'appliquer la préférence nationale qu'ils promeuvent mais que s'ils avaient le pouvoir et qu'ils gagnaient l'élection présidentielle, alors ils mettraient en place une loi qui leur permettrait de le faire. Ils sont passés maîtres en matière de victimisation. Comme de provocation.

C'est le cas sur la mosquée. Ce projet privé est porté par la communauté musulmane de la ville depuis plusieurs années. Les fidèles ont longtemps prié dans un appartement, puis un garage. Après les violences commises à Fréjus à l'automne 2005, l'État avait demandé à la municipalité, dans le cadre de la rénovation du quartier de la Gabelle, de régler la question de « l'islam des caves ». Permettre à la communauté musulmane de construire un lieu de culte décent. Le permis a été déposé en 2011. Dès cette date, le dossier était consultable auprès des services de l'urbanisme. David Rachline, conseiller municipal à l'époque, était parfaitement au courant de ce projet. Il avait même été invité par l'ancien maire à aller consulter le dossier à l'Urbanisme. Or, en septembre 2013, comment lance-t-il sa campagne ? En faisant croire que la municipalité sortante avait « caché » ce projet. Avec une affiche en forme de carte postale représentant l'ombre d'une grande mosquée à minarets sur la plage de Fréjus et une écriture arabisante, le candidat Rachline promettait un référendum local s'il était élu. David Rachline ment, fait peur : il fait croire qu'il y aura 2 000 fidèles qui viendront prier tous les vendredis à Fréjus alors que le projet prévoit d'accueillir 870 personnes. La droite locale n'a jamais essayé de rétablir la vérité. Pire : le député-maire UMP de la commune voisine Saint-Raphaël a porté plainte contre la municipalité de Fréjus et réclame l'arrêt des travaux parce qu'il estime qu'il y aura des problèmes de circulation dans sa ville. Se posant ainsi en unique pourfendeur de cette mosquée. Durant la campagne municipale, le problème n'était alors pas de savoir si la communauté musulmane avait le droit d'avoir un lieu de culte décent, mais « il va y avoir trop de musulmans », « il va y avoir trop d'Arabes », « on n'en veut pas chez nous ». David Rachline et les candidats de droite expliquaient ensemble que les musulmans allaient « venir de toute la région », oubliant au passage qu'il y a une mosquée à Cannes, Marseille, Nice... Mais ils n'en étaient pas à une approximation près.

À l'époque, j'ai refusé que nous entrions dans cette polémique sur la mosquée. Je pense aujourd'hui que nous avons eu tort. Nous avons affirmé nos principes – le droit à un lieu de culte, l'opposition au racisme – mais lorsque nous avons tenté d'expliquer la réalité des choses à la presse – nombre de places, pas de financement public, projet connu depuis 2011... – il était trop tard. La campagne avait déjà pris l'allure d'un référendum « pour ou contre la mosquée ». Tout ça alors que la grande majorité des Fréjusiens n'ont jamais mis les pieds dans ce quartier et ne verront jamais cet édifice, même de loin. David Rachline a lancé une pétition qui s'est avérée être un succès. *Var Matin* a fait plusieurs unes sur le sujet de la mosquée. Nous avons tenté de faire campagne sur les conditions de vie quotidienne dans les quartiers de la ville, mais nous étions à dix mille lieues d'avoir les retombées médiatiques qu'a eues le Front national.

Une fois à la tête de la mairie, David Rachline a remballé son projet de référendum. Le nouveau maire est un adepte du double discours. Il a rencontré plusieurs fois les responsables de l'association cultuelle musulmane pour leur dire qu'il n'est pas raciste, qu'il n'aura pas les moyens légaux de s'opposer à la construction de cette mosquée. Mais au cœur de l'été 2014, une campagne assez vive de l'extrême droite a commencé sur les réseaux sociaux. David Rachline s'est vu reprocher de ne pas empêcher la construction de cette mosquée comme il s'y était engagé. Le maire a laissé traîner jusqu'à l'automne et son élection comme sénateur fin septembre. Puis, le 3 octobre, lors d'une réunion publique dans une autre ville varoise dirigée par le FN, Cogolin, David Rachline a annoncé qu'il allait tenir ses engagements et qu'il était prêt à prendre un arrêté pour stopper les travaux du bâtiment. Vingt jours plus tard, dans *Var Matin*, son adjoint assurait que pour la mairie le permis de construire était caduc[1]. Mais aucune mesure concrète n'a été actée : « Un arrêté suspensif sera pris une fois qu'on se sera entouré de toutes les

1. « Mosquée de Fréjus : pour la Ville, le permis est caduc », *Var Matin*, 17 octobre 2014.

garanties légales », a expliqué le maire en réponse à son voisin UMP de Saint-Raphaël réclamant lui aussi l'arrêt de ces travaux[1]. David Rachline a fini par prendre cet arrêté… lequel a été très vite retoqué par la justice en décembre. Lors de cette annulation, on pouvait lire sur le compte Facebook d'un proche du maire de Fréjus qui lui sert parfois de « garde du corps » : « les ratons ont gagné ». Voilà la motivation profonde du FN sur ce dossier. Le maire va laisser traîner ce dossier de la mosquée sur toute sa mandature : il va communiquer dessus avec une grande démagogie, continuer à attiser les tensions, surfer sur l'islamophobie de son électorat et ressortir son projet de référendum local. Quitte à en faire de nouveau le sujet de la prochaine municipale en 2020. Mais, s'il va au bout de sa logique, que va-t-il faire ? Faire raser ce lieu de culte alors qu'il est quasiment fini ? Laisser les musulmans prier dehors puisqu'ils n'ont même plus de garages à disposition ? Car au-delà de la haine et de la stigmatisation, comment, concrètement, règle-t-on la situation ? Peut-on sérieusement imaginer la suppression d'un lieu de culte pour une communauté bien précise ? Cette question de la mosquée illustre toute la démagogie du Front national.

1. « Mosquée de Fréjus : Georges Ginesta met la pression sur David Rachline », *Var Matin*, 29 octobre 2014.

IV

La France amère

Je me souviens d'un reportage en 2002, au lendemain du second tour de la présidentielle, dans l'émission *Complément d'enquête* sur France 2 avec une équipe de journalistes suivant « Francis ». C'était un électeur Front national avec des raisonnements simplistes. Il racontait qu'un jour il s'était fait voler sa mobylette. Et ça, c'était trop pour lui... À partir de ce jour-là, Francis a décidé de voter Front national. D'assumer. Dans ma famille, « Francis » nous accompagne dans nos discussions sur cette « futilité » qui peut faire basculer un électeur dans le vote Le Pen. En 2002, le cas de Francis me paraissait assez anecdotique. Plus maintenant. Durant la campagne des municipales, j'ai rencontré beaucoup de « Francis »... Un des plus marquants était Fabrice Curti. Cet électeur de droite a rejoint l'équipe de David Rachline avant de devenir son adjoint. Pourquoi cette conversion ?

Parce qu'un soir sa copine s'est fait embêter par des personnes d'origine maghrébine. En tout cas, c'est ce qu'il raconte… « Ils » s'en sont pris à sa copine. Alors il n'aime plus les Arabes.

Le cas de « Francis » illustre cette amertume qui, sur fond de sentiment d'insécurité, conduit beaucoup d'électeurs vers Marine Le Pen. À Fréjus pourtant, l'insécurité est très relative. Les problèmes, ce sont les cambriolages, les dégradations de voitures ou encore un trafic de drogue qui gangrène certains quartiers alors que les autorités connaissent la situation. Ce ne sont pas les atteintes aux personnes, sur lesquelles fantasme le FN. Lorsqu'on étudie les faits, l'insécurité ne fait pas rage à Fréjus. Le Front national peut expliquer que la délinquance augmente. Certes, si on regarde les chiffres globalement, les « faits constatés » par la police ont effectivement augmenté de plus de 7 % entre 2012 et 2013. Mais, lorsqu'on s'y attarde, leur nombre (entre 3 000 et 3 200) est bien moins important que la moyenne des infractions constatées par la police entre 2005 et 2007, soit 7 750 cas[1]. Et lorsque l'on compare

1. Laurent Mucchielli, Émilie Raquet et Claire Saladino in *Délinquances et contextes sociaux en région PACA – Premiers éléments pour un tableau de bord statistique analytique*, études et travaux de l'ORDCS, février 2012.

Fréjus avec d'autres villes de la région Provence-Alpes-Côte d'Azur, la ville n'est pas classée parmi les plus concernées par des faits de délinquance. Si on « corrige » ensuite ces faits par les flux touristiques – la population de Fréjus augmente chaque été du fait des vacanciers –, la commune passe par exemple de la 13e à la 22e place des villes de PACA les plus touchées en fonction du nombre d'habitants présents sur son territoire. Les chercheurs ont aussi fait le constat du lien entre chômage des jeunes[1] et faits de « petite et moyenne délinquance économique », et là encore, le taux de délinquance est sous la moyenne régionale, plus de 400 « faits » pour 10 000 habitants. Je ne veux pas laisser penser que je suis angélique sur la question de l'insécurité mais ce qui est préoccupant, ce sont les faits de drogue et le communautarisme en développement plutôt que des faits de violence ou d'atteinte aux personnes.

Pourtant, le Front national continue d'instrumentaliser cette question. David Rachline lie en permanence l'insécurité à la construction de la mosquée. On stigmatise une communauté pour mieux s'octroyer le vote d'une autre.

1. Selon l'Insee, en 2011, 23,3 % des hommes et 33,1 % des femmes entre 15 et 24 ans étaient à la recherche d'un emploi contre plus de 10 % pour l'ensemble du reste de la population.

Contrairement à la gauche en 2002, nous avions décidé dans notre campagne municipale d'aborder la question de la sécurité. La réaction de David Rachline ? « Elsa Di Méo fait une campagne FN ! » Sans rire... La gauche n'a pas à rougir de sa politique en matière de sécurité. Nous administrons des municipalités. Nous savons gérer les faits de violences quotidiennes. Durant la campagne municipale, nous avons proposé de réorganiser la police municipale, décidé d'une « charte de bonne utilisation » de la vidéosurveillance, et de la mise en place d'« agents de tranquillité » dans certains quartiers pour faire remonter aux services de la mairie les problèmes de voisinage. David Rachline, lui, en fait des tonnes avec la police municipale. Il promet sans cesse des agents municipaux « partout ». Il annonce qu'il va « rouvrir des postes[1] ». Dans les réunions de quartier auxquelles il participe, le maire lie toujours ce sujet à « ceux qui empêchent les Fréjusiens de vivre tranquillement ». Il justifie ensuite sa politique d'économies « pour remettre la police municipale 24 heures sur 24 ». Et pendant ce temps, on coupe les vivres aux centres sociaux. Ou bien on baisse le budget consacré aux écoles. En 2014, on est passé de 43 à

1. « La priorité de Rachline, c'est la sécurité », *Le Parisien*, 12 avril 2014.

36 euros par enfant. Une conséquence : les gamins ne vont plus ni en classe de découverte ni en classe verte. David Rachline essaie de faire porter le chapeau à la réforme des rythmes scolaires – dont le premier projet du maire de Fréjus a été retoqué par les services de l'Éducation nationale[1] –, mais lorsqu'on décide d'augmenter le budget de la police municipale et qu'on baisse celui des écoles ou des centres sociaux et de la médiathèque, c'est un choix politique, une réalité de ce FN soi-disant « new-look » et « social » de Marine Le Pen.

D'ailleurs, ces choix absurdes se retournent déjà contre David Rachline. Parce que les policiers municipaux sont contraints de faire des rondes 24 heures sur 24 avec des effectifs qui ont à peine augmenté, la sécurité devant les écoles n'est plus assurée. Depuis l'arrivée du maire, le budget de la police municipale est censé avoir augmenté de 200 000 euros. Le maire a aussi annoncé le recrutement de quinze nouveaux policiers municipaux et assuré qu'il allait tous les armer. Jusqu'à présent, seule la moitié d'entre eux l'était. Quand David Rachline a besoin d'en rajouter, il leur promet des gilets pare-balle ou de nouvelles voitures. Résultat, certains policiers municipaux

1. « Rythmes scolaires : le projet fréjusien retoqué », *Var Matin*, 26 juin 2014.

se sentent mal à l'aise. Si certains se plaîsent dans le rôle de cow-boys au service du maire, nombreux sont ceux qui ont le sentiment d'être poussés à faire le boulot d'une milice FN. Certains parlent d'ambiance « nauséabonde » et « raciste » au sein de la police municipale. Comme dans toute la population, il y a une vraie fracture chez ses agents. Quelques jours après l'élection de David Rachline à la mairie, un des dirigeants de la police municipale s'est retrouvé avec une croix gammée sur son bureau.

Cette amertume observée chez « Francis » ou d'autres électeurs de Marine Le Pen, le Front national sait très bien l'exacerber. L'entourage de David Rachline se proclame très amer vis-à-vis de certaines catégories de la population : les « Arabes », les « profiteurs », les « politiques »... Chacun y va de sa petite anecdote sur pourquoi il est au FN. Un tel explique qu'il s'est « fait emmerder » par une personne ou qu'il en a vu une autre prendre du galon dans son entreprise et pas lui. Un autre gars a l'impression que son voisin touche plus d'allocations sociales que lui. Le personnel politique du FN entretient ces idées, profite du délitement du corps social dont notre société est victime. Ces dirigeants aiment parler de « déclin » de la ville, comme de celui de la France. Les Fréjusiens ne comprennent pas pourquoi leur ville n'est pas au premier rang de l'Est varois. Fréjus, c'est la périphérie de Nice, de Toulon, éventuellement de Marseille. La ville s'est peu à peu sentie « abandonnée ». Notamment après les multiples inondations. Mais à l'époque, la colère s'était alors cristallisée contre l'ancien maire, Élie Brun, et cet État qui ne « donne pas assez » et ne fait jamais de travaux d'aménagement, années après années. Peu importe pour eux que ces travaux ne soient pas de la responsabilité de l'État mais d'élus locaux – tous de droite – incapables de se mettre d'accord. Pour les habitants, c'est la faute à cet État lointain qui ne leur construit rien « alors qu'ils y ont droit comme tout le monde ». En 2014, le FN a fait campagne sur ces « absences ». Mais fin novembre, alors que nous étions en alerte orange pour cause de fortes pluies, David Rachline a mis une nuit et une journée pour revenir sur Fréjus, préférant participer à un débat télévisé sur Paris.

S'il n'y a pas de sentiment d'« abandon », la notion d'éloignement pèse tout de même sur un certain nombre d'habitants. Cette amertume, on la ressent parmi les classes moyennes. Celles qui prennent leur voiture tôt le matin, obligées de travailler loin. Ces gens-là nous disent : « On travaille, on se lève tôt, on paie des impôts alors que les autres ne travaillent pas et touchent des allocs. » Et derrière les « autres » se dessinent des étrangers fantasmés. Le discours n'est pas « on devrait m'aider » mais « on ne devrait pas aider les autres ». La population n'a aucune envie d'être solidaire. Et chez nous, pour ne rien arranger, le clientélisme local brouille les repères.

Aujourd'hui, c'est à la mode chez une partie des socialistes de traiter la question du vote Front national à travers les études sur la « France périphérique » du géographe Christophe Guilluy[1]. Mais David Rachline n'a jamais tenté de s'adresser au « Fréjus des oubliés » comme le fait Marine Le Pen avec sa « France des invisibles ». En revanche, il s'est appuyé sur la transformation d'un centre-ville qui se paupérise, oublié des politiques de développement locales, afin d'attiser le sentiment d'« invasion » auquel cèdent facilement certains Fréjusiens. Méfions-nous des théories sociologiques toutes prêtes qui dispenseraient la gauche de réflexions locales sur des réalités particulières. Lorsque nous sommes en mal de réponses idéologiques et de grilles d'analyses politiques, dès qu'une nouveauté arrive – en l'occurrence les analyses de Christophe Guilluy – nous en faisons trop vite une nouvelle doctrine.

Pour lutter sur ce terrain favorable au FN, nous avons tenté, à Fréjus, de nous emparer de la question de « l'identité ». Très tôt, avec mon équipe de campagne, nous nous sommes dit qu'il fallait parler

1. Christophe Guilluy, *La France périphérique. Comment on a sacrifié les classes populaires*, Flammarion, 2014.

de l'histoire de la commune, rappeler les transformations de la ville ces dernières années. Montrer comment elle avait changé de nature mais surtout comment elle pouvait s'adapter au monde nouveau. Au « c'était mieux avant » du FN, nous voulions opposer une suite : « parce qu'on ne vous a jamais proposé autre chose ». Ma campagne, je l'avais alors intitulée : « Mon identité c'est Fréjus. » J'ai sorti un tract vantant le « made in Fréjus » afin de soutenir le commerce local pour ne pas laisser ce terrain-là à l'extrême droite. Il s'agissait de valoriser les savoir-faire locaux face au déclinisme ambiant. Je pensais ainsi pouvoir contrebalancer le sentiment nationaliste. J'ai essayé durant toute la campagne de dire : « Avec moi, on construit le Fréjus de dans dix ans, de dans vingt ans… » J'ai été inaudible. Pourtant, lorsque David Rachline assume la « préférence locale » pour les Fréjusiens, ça marche. Le maire s'appuie sur une ville découpée en quartiers. Il n'a pas besoin de dire « les musulmans », « les Maghrébins » ou « les Arabes dehors ». Il dit tout simplement : « La Gabelle ça suffit. » Tout le monde comprend de qui il veut parler… Son discours est une vraie déclinaison de « la France aux Français ». Lui réclame « le travail aux Fréjusiens ».

Mais au fait : c'est quoi « être fréjusien » ? C'est quoi être Varois ? La gauche doit se réapproprier cette question de l'identité. N'ayons pas peur de rappeler que notre ville – comme la France – s'est construite sur les migrations. Il existe déjà une mosquée à Fréjus depuis 1930, classée monument historique en hommage aux soldats d'Afrique noire. Mais malheureusement, lorsqu'on remémore aux habitants que leurs propres grands-parents étaient étrangers, le problème devient religieux. Les Italiens ? Les Espagnols ? « Oui mais ils allaient dans les mêmes églises », entend-on. Ou alors : « Oui mais eux ont fait l'effort de s'intégrer. » La gauche doit opposer une vision ouverte de l'identité à celle, fermée, de l'extrême droite. On se doit d'y donner du sens. Surtout dans cette période. À une condition : être en accord avec nos valeurs. Que ce soit sur le droit de vote des étrangers aux élections locales ou sur notre vision de la famille, il faut assumer de dire qu'il s'agit là de notre « identité future ». Peut-être que ces sujets ont du mal à passer aujourd'hui. Mais à l'épreuve de l'histoire, je reste persuadée que nous aurons raison. Nous l'avons vu avec l'abolition de la peine de mort ou avec le pacs. Assumons ce que nous sommes.

Il y a une autre condition : se battre contre les postulats de départ posés par l'extrême droite. Non, la France ne connaît pas un « déclin » mais traverse une période de mutation. Non, ce n'est pas non plus du « bon sens » que d'« aider sa famille avant son voisin ». Ce raisonnement est simpliste et piégé. Certes, lorsque la solidarité n'est plus une valeur partagée, cet argument finit par prendre. Mais lorsqu'on rappelle que les boulots occupés par les habitants d'origine étrangère, personne ne veut les prendre, et que les belles maisons des électeurs du FN n'auraient jamais été construites sans les immigrés, ça heurte les certitudes. Dans ces situations, notre réponse doit être simple : « Je ne choisis pas qui je laisse mourir de faim. »

*

Derrière ce vote de « la France amère » il y a ainsi l'oubli, le sentiment d'abandon mais aussi de revanche : « Je vote pour moi, mon intérêt. » Et cet intérêt trouve son paroxysme dans une vengeance par les urnes de ma moto volée ou de la mauvaise soirée de ma copine. Je ne méprise pas le fait, pour une partie de ceux qui votent FN, de vouloir être considérés. Mais doit-on en passer par une vision de la société basée sur l'exclusion ? Une vision qui acte le règne de l'intérêt individuel sur l'arbitrage collectif ? La vengeance plutôt que la justice ? « Moi » plutôt que « nous » ? Une telle logique nous a déjà conduits aux régimes totalitaires.

V

DÉLIQUESCENCE

Le Front national n'aurait jamais pris l'hôtel de ville de Fréjus si la droite ne lui avait pas préparé le terrain. David Rachline s'est assis dans le fauteuil de maire parce que le système sur lequel l'ancien maire de droite, Élie Brun, avait fondé son pouvoir s'est effondré comme un château de cartes. Tout le monde savait que le clientélisme qu'il entretenait précipiterait sa chute. La seule question qui se posait était : qui va le remplacer ? On connaît la réponse.

*

Dès mon élection au conseil municipal en 2008, j'ai tout de suite fait le choix de m'attaquer au « système Brun ». Élu à l'époque à 63 % dès le premier tour, l'ancien maire, héritier de François Léotard, était tout-puissant. Notre liste de gauche, elle, avait fait

25 %. Mais l'opposition municipale n'avait pas droit à la parole. Après l'élection, on nous a alors expliqué – à gauche comme à droite – qu'il fallait « se taire ». Puisque Élie Brun avait été élu haut la main, nous n'avions pas le droit de le critiquer, d'en « dire du mal ». Si nous nous y essayions, nous nous faisions insulter.

Comme le matin de mon premier conseil municipal. Élie Brun avait coupé tous les micros des conseillers municipaux. Il était le seul à avoir accès à la sonorisation de la salle. Il voulait que tout le monde comprenne bien qu'il n'y avait qu'une seule voix à Fréjus : la sienne. Dans la salle, 350 personnes étaient debout sur des chaises. Dès que je tentais de prendre la parole pour dire que mon groupe allait présenter une candidature – symbolique – au poste de maire, je me faisais huer, insulter, traiter de « salope ». Mais en allant au bout de mon intervention pour présenter nos combats pour les six ans de mandat à venir, j'ai arraché une première victoire. À la fin de la séance, un élu de la majorité d'Élie Brun est venu me dire :

– De toute façon on va vous briser les reins.

Je ne me suis pas démontée et je lui ai répondu :

– Vas-y… Y'a que toi et moi dans le couloir. Vas-y !

Je l'ai senti déboussolé. Ce jour-là, on a installé un changement d'ambiance. Nous avions simplement instauré une opposition. Depuis l'élection de David Rachline, on entend la même chose : « L'élection est passée, il ne faut plus rien dire. » C'est une vision dangereuse de la démocratie. Cela n'a rien à voir avec la « lune de miel » ou l'« état de grâce » post-électoral que peuvent connaître certains élus. C'est : après l'élection, plus rien ne doit exister.

Entre 2008 et 2014, nous étions donc fermement décidés à bâtir et faire vivre une opposition de long terme à Élie Brun. Nous étions persuadés que, pour gagner la confiance des Fréjusiens et casser l'hégémonie de la droite sur la ville, il fallait travailler les dossiers locaux. Être ceux qui allaient dénoncer le « système » local. Nous avions décidé à l'époque de cibler les sujets que nous considérions comme les maillons faibles du maire en place : l'urbanisme, les finances, les marchés publics, le logement et l'école. Nous nous les sommes répartis entre nous, les cinq conseillers municipaux d'opposition, et nous avons commencé à bosser. Nous avons ainsi regardé de près les marchés publics passés par la municipalité. Je notais tout. Pourquoi telle entreprise gagne l'offre et pas telle autre. Nous étions très assidus. Nous nous disions aussi qu'un jour certaines personnes mécontentes finiraient par nous donner des informations. Et c'est ce qui s'est passé… Nous avons fait le tri et, dans les sujets d'urbanisme, nous sommes tombés sur l'affaire du « Clos des roses ».

Le Clos des roses, c'est une bâtisse de Fréjus qui sert à la fois de production de vin, de salle de ventes, de réception ou de concert, de chambre d'hôtes, avec piscine, spa... Le lieu appartient aux Barbero, famille d'entrepreneurs dans le bâtiment, bien connue à Fréjus. Problème : l'ensemble a été construit sur un terrain agricole sans aucun permis de construire si ce n'est pour rénover le chai qui servait à la vente de vin. Dans notre suivi des marchés publics accordés par la municipalité, nous nous sommes aperçus que Alex Barbero en avait remporté beaucoup. J'ai alors alerté les services de l'État puis le parquet de Draguignan. Après les premières questions sur ce sujet en conseil municipal, curieusement, j'ai reçu une lettre de l'entrepreneur : « Je ne comprends pas, m'expliquait-il, j'ai toujours été l'ami des socialistes, je travaille pour l'emploi, je me donne beaucoup de mal pour que les gens puissent travailler. J'aimerais vous rencontrer. » Ma réponse a été simple : j'étais ravie de pouvoir débattre avec lui, devant les habitants du quartier, pour discuter de la politique de développement dans une zone agricole classée et non constructible. Il n'a jamais donné suite. Enfin presque... Un soir où j'organisais un compte-rendu de mandat, Alex Barbero a envoyé son fils – Alexandre – et plusieurs de ses salariés. On a vu cinquante bonhommes débarquer en camion de chantier devant la salle que nous avions louée… un centre de bien-être. Tendus, les types me cherchaient, sans me connaître :

– Vous savez qui c'est Elsa Di Méo ? Le patron a dit qu'il fallait venir pour lui expliquer à celle-là qu'on n'est pas contents et qu'elle doit nous laisser tranquilles.

– Mais le patron de qui ? leur a demandé un de mes proches.

– Ben, Barbero !

Les cinquante gars se sont positionnés devant la salle en attendant le « patron ». Ils nous ont dit avoir été payés en heures supplémentaires pour venir nous impressionner. Le fils, qui avait débarqué tout énervé, s'est calmé, puis est venu me voir à l'intérieur. Après deux heures de discussion animée, il a terminé en me disant : « Mais… Dites-moi quand même… À la fin, si vous gagnez, vous aurez quand même besoin de travailler avec moi non ? » En fait, il était là pour voir si on pouvait « s'arranger ». Le lendemain, le « face-à-face » a fait la une de *Var Matin* et nous avons gagné en estime auprès de petits entrepreneurs locaux victimes de la toute-puissance des Barbero.

En parallèle, Élie Brun et ses élus ont commencé à expliquer en conseil municipal qu'ils se « fichaient » qu'il n'y ait pas eu de permis de construire. En 2012, une procédure de justice s'est enclenchée et M. Barbero a été condamné en 2013 par le tribunal correctionnel de Draguignan à démolir une partie d'un des bâtiments et à payer une amende de 240 000 euros[1]. Élie Brun a toujours défendu M. Barbero. L'ex-maire avait table ouverte au Clos des roses. Il y tenait ses réunions de la majorité municipale. Et M. Barbero devait y trouver son compte : ses activités ont toujours été florissantes malgré la crise. Où étaient le Front national et David Rachline à cette époque dans ce combat contre le « système » local ? Nulle part. S'il est déjà conseiller municipal, le futur maire travaille alors au siège du Front national à Paris, auprès de Marine Le Pen. Il n'est même pas encore le leader local de son parti. Jamais il n'a pris le risque de s'attaquer aux liens troubles entre milieux politiques et économiques dans la région. Au contraire... Lui aussi a table ouverte chez les notables locaux. Durant la campagne, il a été invité à s'exprimer devant les patrons des entreprises de BTP. Pas moi. Il expliquait qu'avec lui ils pourraient continuer leur business *as usual.* Qu'il ne les dérangerait pas. Ceux-ci s'en félicitent publiquement.

L'autre combat de la gauche à Fréjus a été celui mené contre Francis Pizzorno. Le patron de cette grande entreprise de déchets exploitait une décharge

1. « Clos des Roses à Fréjus : Alex Barbero condamné à une démolition partielle », Varmatin.com, 11 mai 2013.

à Bagnols-en-Forêt, au nord de la commune de Fréjus[1]. Après sept ans de procédure, la justice a définitivement condamné en 2014 Francis Pizzorno – un très proche d'Élie Brun – à verser près de 750 000 euros pour dépôt de déchets illégaux[2]. La décharge est aujourd'hui fermée et le maire de Bagnols-en-Forêt se bat pour faire dépolluer les sols et récupérer au civil des dommages et intérêts auprès de Francis Pizzorno. Là aussi, nous avons été très seuls à mener ce combat en conseil municipal. David Rachline n'a jamais rien dit sur le sujet. En revanche, durant la campagne, il avait garanti, notamment à des membres de son équipe, qu'il n'y aurait plus ce type de relations avec Francis Pizzorno. Il avait promis par exemple qu'il allait remettre l'eau en régie municipale et dénoncer le contrat avec l'entreprise. Francis Pizzorno a ensuite fait savoir qu'il avait rencontré David Rachline avant qu'il ne soit intronisé et que tout continuerait comme avant. Nous avons sous-estimé le fait que le pouvoir économique local avait besoin du maintien de ce système. Et trouvait ainsi son compte dans le FN. À tel point qu'au final, nous avions un double handicap :

1. « Décharge de Bagnols : la justice charge Pizzorno », *Libération*, 8 octobre 2011.

2. « Décharge de Bagnols : le groupe Pizzorno condamné en cassation », *Var Matin*, 31 octobre 2014.

parce que le PS était au gouvernement, pour une partie de la population nous étions les « représentants du système », mais pour le pouvoir économique, nous mettions en danger son propre « système ». La réalité locale est que nous avons combattu ce système et que David Rachline n'a jamais rien fait et ne fait toujours rien. À l'épreuve locale, le FN n'est pas dérangé par les pires travers du libéralisme.

Un système tellement à bout de souffle que l'ex-maire Élie Brun a fini par tomber pour « prise illégale d'intérêts ». Il avait attribué, avec le soutien de la commission d'attribution des plages de la ville, une plage publique – l'Alba – à l'ex-mari de sa femme. L'homme ne s'était pas privé ensuite d'y faire travailler l'épouse du maire. Annabelle Brun s'occupait de la comptabilité, recevait les clients, les fournisseurs. Et en plus de bénéficier de cette attribution, le couple de gérants ne respectait pas le cahier des charges : constructions plus grandes qu'autorisé, utilisation privative d'un parking public de la société de gestion du port de la ville de Fréjus… Compte tenu du manque de transparence dont nous étions témoins, j'avais décidé de ne plus venir siéger en commission d'attribution d'appels d'offres ou de délégation de plage. Je ne voulais pas être complice de quoi que ce soit. Aussi, mon groupe et moi n'étions pas présents lors des séances d'attribution de la plage de l'Alba. Ce qui ne m'a pas empêchée de suivre de près cette étrange histoire, à grands renforts d'informations distillés par les « amis » du maire. Dès que j'ai été mise au courant de l'embauche de Mme Brun, j'ai alerté par courrier les services de l'État et la justice. Quelques semaines après, alors qu'une équipe de télévision tournait un reportage à Fréjus sur la brigade anticriminalité, les policiers suivis par les caméras ont dû intervenir sur un incident impliquant le maire. Élie Brun et des touristes qui avaient eu l'audace de s'asseoir sur la partie publique de la plage privée étaient en pleine bagarre. Le sentiment d'impunité était tel à Fréjus que le clan d'Élie Brun n'avait pas réalisé que cela puisse être un problème d'être filmé de la sorte. La scène filmée a fini devant le procureur de Draguignan. Lequel a diligenté une enquête sur cette plage, ses gérants, les liens avec le maire, abonné à la table du restaurant de la plage. Élie Brun a été condamné à cinq ans d'inéligibilité, de déchéance des droits civiques et à une amende. Cela à deux mois des municipales. Profitant du délai d'appel, il a tout de même pu se présenter à sa succession.

Le jour de son procès, Francis Pizzorno, ami de toujours d'Élie Brun, était là. La fin de règne était telle que le maire de l'époque apparaissait bien seul sur le banc des accusés. Le système s'effondrait, les courtisans disparaissaient. J'ai assisté à la séance, pointée du doigt par les accusés comme responsable. Trois ou quatre jours plus tard, j'ai croisé Élie Brun derrière la mairie. Il m'est tombé dans les bras... Je n'en revenais pas. Il a tenté de m'expliquer qu'il était une victime dans cette histoire et qu'il s'était fait piéger. Je lui ai dit qu'il était temps pour lui d'arrêter la politique. De sauver ce qui était encore possible. Mais il était hagard.

Il a tout de même emmené Fréjus dans le mur en se présentant à sa réélection. Les autres responsables de droite qui ont attribué cette plage en commission ont été entendus par la justice. Personne n'a été poursuivi. L'UMP a réhabilité les proches de Brun en leur assurant une place sur la liste aux municipales. Ils ont quitté leur ancien chef avec comme seule rédemption de l'avoir montré du doigt. Quant au FN, ils n'ont jamais évoqué cette plage. Presque un an après l'élection de David Rachline, une mise à plat des procédures d'attribution des lots ou kiosques de plages a été proposée par les services municipaux, mais l'équipe du nouveau maire a enterré tout projet de transparence. Sur les plateaux télé, l'extrême droite nous assène son « tête haute, mains propres », sans passer aux actes sur le terrain.

Tout au long de notre combat contre le « système Brun », certains à gauche nous ont fait le reproche de faire le jeu du FN. A-t-on favorisé son accession à la mairie de Fréjus en dénonçant l'affairisme de la droite ? Il n'y aurait pas quinze villes dirigées par l'extrême droite en France, je dirais oui. Mais ce n'est pas le cas... Une autre partie de la population nous a tout de même témoigné de la reconnaissance en nous disant : « Vous au moins vous dénoncez les connivences. » Ça ne veut pas dire qu'après ils ont voté pour nous, mais ils ont fini par se dire que le système en place ne permettait plus au territoire de se développer. Je ne pense pas que nous ayons participé à la crédibilité de David Rachline en nous attaquant à la corruption locale.

En outre, nous avons eu beaucoup de mal à être visibles dans les médias. Notre action n'était pas relayée. *Var Matin* ne s'intéressait pas à nous. Et malgré cela, nous voulions nous construire une légitimité sur ces combats-là. Nous nous sommes dit : « De toute façon, si on ne le fait pas, le FN gagnera. Et si on le fait, ça peut enrayer les choses. Sur le long terme, il faut tout faire exploser pour reconstruire quelque chose de sain. »

Nous avions fait attention à être toujours présents sur les questions sociales, mais ce travail ne trouve pas de résonance. Les habitants nous disent qu'ils ont du mal à se loger mais personne ne veut de logement social... Je reste tout de même persuadée que la question de la moralisation ne peut se faire sans la question sociale. Il faut lier les deux. Alors oui, lorsqu'on voit le résultat des élections intermédiaires, on peut se demander si ça vaut la peine d'avoir des stratégies locales, puisque ce qui détermine les gens, ce sont des considérations nationales. Mais si nous n'avions pas mené ces combats, nous serions dans la moyenne des scores de la gauche dans le département : autour de 10 %. Certes, six ans de ce travail, c'est à peine 15,5 % des voix au premier tour… C'est difficile. Mais je suis fière de pouvoir me dire que j'ai tenté de mettre en place une autre conception de la vie publique locale. Et de continuer à le faire.

La droite a également tenté de brouiller les repères politiques en essayant en permanence de convaincre des responsables de gauche de changer de camp, par opportunisme. Georges Ginesta, député-maire de Saint-Raphaël, m'a par exemple proposé, un an avant la municipale de 2014, de mener la liste UMP à Fréjus. C'était la deuxième fois qu'il me proposait de le rejoindre… Je lui ai alors expliqué qu'il n'avait rien compris. Qu'il avait en face de lui quelqu'un qui avait des convictions. Même chose en 2008, lors de ma première campagne municipale, je faisais alors le tour des cérémonies de vœux dans les municipalités voisines de Fréjus. À celle de Puget-sur-Argens un adjoint au maire vient me saluer. Il avait eu en 2007 une très violente altercation avec un responsable socialiste de mon entourage lors du dépouillement de son bureau de vote le soir de la présidentielle, et avait dit à cet ingénieur, agrégé de philosophie, de « retourner dans sa banlieue ».

– Bonjour, madame Di Méo, m'aborde-t-il. Vous allez bien ?

– Très bien et vous ?

– Oui oui... Bon alors qu'est-ce que vous voulez ?

– Comment ça *qu'est-ce que je veux* ?

– Ben... Vous seriez une jolie prise...

– Je ne comprends pas...

– Je vous demande simplement ce que vous voulez...

Là, je ne me démonte pas :

– Je veux tout. La mairie. Tout.

L'adjoint en est resté médusé. Quelques semaines plus tard, fin mars, Élie brun est élu au premier tour. Lors du deuxième conseil municipal, je me plains du règlement intérieur qui nous empêche d'intervenir. Dans son bureau, le premier adjoint de Brun m'explique qu'il est hors de question qu'ils revoient le règlement intérieur. Le maire veut ainsi me donner une leçon après le premier conseil municipal où je me suis présentée contre lui. J'explique alors à cet adjoint qu'il va falloir s'habituer a entendre la gauche désormais.

– Justement, me répond-il, le maire voudrait que vous ne parliez plus.

– C'est une blague ?

Il me propose un marché : si je me tais pendant six mois, ils me donneront un peu d'argent pour faire fonctionner notre groupe.

– Il vous faut bien un peu d'argent non ? lance-t-il.

Je prends mes affaires et quitte son bureau en lui lançant :

– Ni moi ni mon groupe ne nous prêterons à cela.

Nous avons ensuite passé des mois à nous battre pour avoir le droit de parler lors des conseils municipaux, nous n'avons jamais eu de budget de fonctionnement et il nous faudra des mois pour obtenir au moins une salle avec un téléphone comme la loi l'exige. Quant à notre tribune d'opposition dans le journal de la commune, elle a été de nombreuses fois « oubliée »… Ces tentatives d'achat de l'opposition n'ont fait que brouiller le clivage gauche-droite à Fréjus et ont alimenté le slogan « UMPS » ou le discours du « tous pourris » porté par le FN. Tel promoteur immobilier contre qui nous avions porté plainte m'a parfois proposé de le rencontrer pour trouver un « arrangement ». Tel proche d'Élie Brun m'a proposé des billets de théâtre. Ou encore ces paniers garnis offerts à Noël par la mairie et qui contiennent une bouteille de champagne… Tout cela a participé à détruire les repères politiques, et a facilité l'installation du FN.

Cette ambiance-là se nourrit aussi de rumeurs et d'accusations. Fréjus en bruisse en permanence. Les responsables politiques doivent vivre avec. Moi, autant que David Rachline ou, à l'époque, Élie Brun. Entre 2010 et 2014, j'ai par exemple reçu beaucoup de documents sur mes adversaires politiques. Des photos ou des papiers personnels. J'ai toujours refusé de les utiliser, mais les gens qui me les ont donnés m'en ont voulu de ne pas les avoir fait fuiter. J'ai la certitude qu'on ne gagne jamais en usant de ces armes, on alimente une déliquescence politique qui ne peut profiter qu'à l'extrême droite. Ce qui donne la société fasciste des années 1930, c'est la rumeur permanente. Je ne veux participer à cela en aucun cas. À mon sujet, on a longtemps raconté que, puisque mon mari s'occupe d'une association de défense des immigrés, on allait « recevoir des immigrés en pagaille ». Au sujet d'Élie Brun, il y a eu cette rumeur pendant des mois, qui disait qu'il avait été trouvé nu dans un caniveau par la police et les pompiers. Les gens en ville en parlaient comme s'il s'agissait d'une vraie information. Et sur David Rachline, il y a eu des réflexions à propos de sa confession. Durant la campagne, une commerçante m'a dit : « Rachline ne sera jamais élu. Il est pire qu'un Arabe, il est juif. » Ce qu'il n'est pas.

Sa propre équipe n'est pas en reste : quelques mois après l'élection, elle a décidé de mener une campagne de dénigrement contre la directrice d'un centre social. Laquelle a été faussement accusée d'avoir détourné de l'argent, d'avoir reçu un avertissement de la fédération des centres sociaux... L'ex-maire Élie Brun a lui-même entretenu certaines rumeurs pour décrédibiliser ses adversaires.

*

La droite a instillé les ferments qui ont permis l'arrivée du FN au pouvoir, installé cette politique du ragot sans aucun respect du privé et de l'intime. Elle en a fait un mode de gouvernance qui s'est, à la fin, retourné contre elle. David Rachline n'a même pas eu besoin d'être aidé par les réseaux d'extrême droite, pourtant très compétents en matière de boules puantes. Et il n'a jamais rompu les liens avec les entrepreneurs locaux aux pratiques controversées. Depuis qu'il est devenu maire, il tente, sur le modèle d'Élie Brun, de construire son propre système... avec des entreprises proches de l'extrême droite.

VI

La « FRONT » CONNECTION

Le maire n'est pas entré seul en mairie de Fréjus. Il y a amené une partie de l'extrême droite française – et pas la plus recommandable. Elle vient se servir de la ville comme d'une vitrine, d'une machine à cash pour aider à la conquête du pouvoir de Marine Le Pen.

*

David Rachline avait ainsi promis à son arrivée un audit des comptes de la municipalité pour démontrer la « situation financière catastrophique » de la ville[1]. C'était un bon moyen de justifier les décisions qu'ils allaient prendre, notamment la baisse des subventions

1. « Mairies FN : le pauvre ne vaut pas le coût », *Libération*, 1er août 2014.

accordées aux centres sociaux et à la médiathèque[1]. Mais plutôt que de faire appel à un cabinet local pour réaliser cet audit, le maire a engagé une société qui n'avait jamais mis les pieds à Fréjus : La Financière des territoires. Sa mission : faire un audit de la ville ; avant d'être réduite à une « aide » à la constitution du budget de la commune. Après quelques semaines, qu'avons-nous constaté ? Qu'il s'agissait d'une société fondée au lendemain des municipales, sans expérience, et dont les représentants appartenaient à la galaxie FN[2]. On y trouve des anciens du Groupe union défense (GUD), des personnes ayant participé à la formation de candidats Front national dans l'ensemble des villes… Tout un arc plus ou moins proche de Marine Le Pen et de sa famille. Même procédé lorsqu'il a fallu choisir le prestataire de la programmation estivale de la ville. David Rachline a fait intervenir « La Patrouille de l'événement », une entreprise dont l'un des deux dirigeants, Minh Tran Long, est un ex-militant d'un groupuscule néonazi dissous dans les années 1980[3]. Cette société partage par ailleurs ses bureaux dans le XVIe arrondissement

---

1. Voir le chapitre III.
2. « L'expert en toc du maire FN David Rachline », *Marianne*, 14 mai 2014.
3. « Dans le QG secret de Marine Le Pen », *Marianne*, 4 juillet 2014.

de Paris avec « Jeanne », le microparti de Marine Le Pen, et « Riwal », l'agence de communication d'un autre proche de la présidente du FN, Frédéric Châtillon, ancien président du GUD. Ces deux entreprises sont visées par une information judiciaire en cours, ouverte en avril 2014 pour « escroquerie en bande organisée », « faux et usage de faux », liée au financement de la campagne présidentielle du FN de 2012[1].

David Rachline a assuré la main sur le cœur ne pas connaître les dirigeants de La Patrouille de l'événement, qui s'est occupée de toute la programmation de l'été. D'une soirée DJ sur la plage, à la fête de la Musique – soit une soirée « dancefloor » dans les arènes de la ville, « la plus grande discothèque à ciel ouvert de la Côte d'Azur », comme ils l'ont présentée –, en passant par cinq autres événements en juillet-août. Coût pour la ville : près de 50 000 euros à chaque événement contre un modeste chèque de 1 000 euros à la commune pour la location des lieux[2]. Et, pour assurer la sécurité, là aussi ce sont des entreprises proches de ces mêmes réseaux d'extrême droite qui ont été sollicitées. La mairie a fait appel à Ven-

1. « Le microparti de Marine Le Pen est visé par une information judiciaire », Mediapart, 15 avril 2014.

2. « Comment les copains de Marine Le Pen festoient à Fréjus », *Marianne*, 29 août 2014.

dôme Sécurité, une société bien connue du FN qui l'a employée à de nombreuses reprises. Son dirigeant s'appelle Axel Loustau. C'est le trésorier de « Jeanne » et un personnage connu pour ses menaces contre des journalistes[1] ou ses provocations lors des manifestations contre le mariage pour tous. David Rachline dément avoir fait appel à Vendôme Sécurité, pourtant, de nombreux Fréjusiens ont vu cette société travailler l'été dernier.

Promoteur dans sa campagne de la « préférence locale », David Rachline fait donc venir des proches de la présidente du FN ou des personnes connues pour leurs liens avec l'extrême droite la plus dure. Comment ces prestataires ont-ils été choisis ? Pourquoi viennent-ils travailler à Fréjus ? Comment La Financière des territoires a-t-elle pu être désignée alors qu'elle n'avait que quelques mois d'existence ? Quel type d'« accompagnement au budget » a-t-elle réalisé ? Les décisions politiques de David Rachline en la matière ont été prises sans fondement solide. Il peut vendre tout et n'importe quoi à la population puisqu'il raconte que la situation financière n'est pas seulement mauvaise mais « au bord du gouffre ». On peut baisser les subventions aux associations, décider

1. « 9 mai 2010, un ancien du GUD menace des journalistes », Lemonde.fr, 9 mai 2010.

de fermer des centres sociaux, tailler dans le budget des écoles, vendre des terrains qui appartiennent à la ville (après avoir promis un moratoire sur les ventes et les constructions, David Rachline vend ces terrains aux mêmes promoteurs immobiliers qu'il dénonçait jusqu'à son élection). Si la situation financière est si catastrophique, pourquoi avoir décidé de garder la directrice financière, celle qui engageait déjà les dépenses de la ville sous la droite ?

L'arrivée de cette galaxie d'extrême droite à l'hôtel de ville se manifeste aussi avec la venue de « technos » FN à son cabinet. David Rachline a par exemple embauché Philippe Lottiaux, ancien candidat frontiste à la mairie d'Avignon, au poste de directeur de cabinet, puis de directeur général des services, poste qu'il occupait déjà auprès de Patrick Balkany à Levallois-Perret. Lottiaux avait pourtant assuré aux Avignonnais qu'il resterait dans le Vaucluse. David Rachline est à la fois lié aux proches de Marine Le Pen et à la branche dure du FN. Celle qui mène aux Jeunesses identitaires, dont les membres niçois sont venus faire ses premiers collages d'affiches et fêter sa victoire en centre-ville avec leur leader, Philippe Vardon. Celle qui mène à Alain Soral, invité en 2008 d'une réunion de soutien à David Rachline lors des élections cantonales. Celle qui mène aussi aux « anciens », ceux qui ont suivi pendant des décennies Jean-Marie Le Pen :

les « ex » de l'Organisation de l'armée secrète (OAS) pro-Algérie française ou ex-militaires. Ces différentes ramifications ont permis à David Rachline de mettre la main sur l'appareil FN local.

Il a gagné sa légitimité au sein du FN parce qu'il est un apparatchik. Le soutien du « Carré », comme on appelle le siège du FN à Nanterre, ne lui a jamais fait défaut. La fédération du Var non plus. D'autant plus qu'elle est dans le giron de Jean-Marie Le Pen, dont David Rachline est un protégé. Le maire y est entré très tôt, au moment où il n'y avait personne. Il fait partie de ces jeunes cadres formés, de ces responsables FN qui ont du sens politique, de la rhétorique, qui savent communiquer. Lorsque David Rachline dirigeait le Front national de la jeunesse, Marine Le Pen a décidé de l'imposer sur Fréjus. Elle a fait un pari sur lui. Et mis l'ensemble de l'appareil à sa disposition. Dès 2011, ses communiqués concernant Fréjus sont orchestrés directement depuis le siège du FN à Paris. Les rappels téléphoniques faits sur la ville pour les élections ou bien les réunions publiques semblent aussi organisés depuis la capitale. En tant que conseiller régional, David Rachline utilisait ce que le groupe FN à la région PACA mettait à son service. C'était une véritable machine de guerre qui lui permettait de militer à Fréjus. Ce n'est pas David Rachline qui a pris Fréjus mais bien le FN. En tant que socialiste, j'étais incapable de sortir autant de tracts et de documents que lui… Tous les deux élus régionaux, moi majoritaire, lui minoritaire, nous n'avions pas les mêmes outils. Chaque fois qu'il y avait un sujet dont il pouvait profiter, David Rachline avait droit à la parole dans l'hémicycle. Je suis pourtant membre de la majorité mais je devais aller arracher une réponse en insistant plusieurs fois auprès de mon groupe. Lui a pu ainsi s'entraîner, construire son discours. Ses interventions sont filmées, envoyées ensuite à ses militants ou membres de son réseau pour relayer cette « bonne parole ». Cela lui offre une visibilité médiatique efficace. Marine Le Pen a multiplié les déplacements à Fréjus et entretenu un culte autour de David Rachline. Ils ont été capables de créer des événements de masse, de faire venir beaucoup de jeunes militants. Je me souviens par exemple d'une visite de la présidente du FN un samedi matin de marché. J'ai vu des quantités de voitures remplies de militants arriver des quatre coins de la région. Près de cent cinquante personnes venues pour l'occasion. Après avoir orchestré un comité d'accueil, la foule s'est déversée sur le marché, créant un véritable phénomène de groupe donnant le sentiment d'envahir la ville. L'effet marque chez les commerçants. David Rachline n'est jamais seul. À l'époque, il ne vivait pas à Fréjus mais il s'y mettait en scène, en clan. Tout converge vers un seul objectif : prendre Fréjus. Au Front national, il y a une vraie professionnalisation, que le PS est en train de perdre.

Ils utilisent pourtant une formation politique classique, les réseaux sociaux venant en appui pour amplifier les discours. Mais même cette formation de base, le PS ne la pratique plus. Nous nous contentons d'une posture gestionnaire et n'avons plus cet esprit de conquête. Le FN est dans l'affrontement politique. Ça les forme, leur donne des objectifs précis. D'autant plus qu'ils ont un avantage sur la gauche : la culture du chef. Quand David Rachline est désigné patron local par Marine Le Pen, ça ne bronche plus. Je ne dis pas qu'il faille faire la même chose, mais la gauche française ne trouve plus l'équilibre entre sa capacité à débattre et, le moment venu, lorsque les choses sont tranchées, avancer.

David Rachline a aussi compris très vite la puissance du web-militantisme. Il a été salarié du FN et gérait son compte Twitter, celui du FNJ, celui de Marine Le Pen… Ça donne une force de frappe beaucoup plus importante que celle d'une personne seule dans sa section à essayer de se servir de Twitter. Et ne parlons pas du compte de la fédération PS du Var, qui n'existait même pas… J'ai aussi demandé plusieurs fois au PS de mettre à disposition des candidats un outil type pour les sites internet. Je n'ai jamais obtenu de réponse. David Rachline l'a fait pour le Var. Quand on voit le modèle de son site, celui du conseiller général de Brignoles, celui du FN Var ou du groupe des élus FN à la région PACA, tout est réalisé dans le même moule numérique. Leurs vidéos sont professionnelles quand les nôtres sont encore du travail d'amateurs. Quant aux réseaux sociaux du type Facebook, même si dans une ville comme Fréjus c'est deux cent ou deux cent cinquante personnes qui sont touchées, ils sont dynamiques. Le FN essaime et influe beaucoup sur le monde médiatique via les réseaux sociaux en se parant des oripeaux du professionnalisme. Lequel apparaît ensuite comme évident pour le reste de la population. Pourquoi la gauche se laisse-t-elle déborder sur ce terrain du militantisme ? Les dirigeants de la fédération du Var nous ont par exemple expliqué que ça ne servait plus à rien de distribuer des tracts dans les boîtes aux lettres et sur les marchés. Il fallait, selon eux, privilégier le porte-à-porte parce que le jour du vote le rendu était meilleur. Mais, dans une ville comme Fréjus, tous les marchés sont tenus par le FN. Si je ne suis pas présente, l'effet psychologique est désastreux. On dira ensuite : « Les socialistes n'existent pas. On ne les voit pas. Ils se cachent. » Cette présence sur les marchés nous permet d'exister.

Avant la victoire du FN à Fréjus, nous nous sommes sentis bien seuls. Depuis, nous le sommes beaucoup moins. Parce qu'il y a eu une médiatisation dans l'entre-deux-tours. Et parce que le premier secrétaire du PS, Jean-Christophe Cambadélis, est sensible à notre cas. Il nous permet aujourd'hui de mettre ce vécu au service de la réflexion collective sur le FN. Mais je ne comprends toujours pas pourquoi rien n'est organisé par les socialistes en région. Pourtant, aujourd'hui, cette région est en grand danger. Le scénario que nous avons connu à Fréjus en mars 2014 pourrait se reproduire à l'échelle régionale en décembre 2015. Ici, l'extrême droite comptait, avant les élections départementales de mars, une députée, un sénateur, huit maires et un conseiller général dans le Var. Malgré nos alertes, les responsables régionaux et départementaux du PS ne mettent rien en place. J'ai plusieurs fois proposé à ma fédération un plan de développement de lutte contre l'extrême droite. J'ai alerté sur les difficultés que nous allions rencontrer aux municipales, notamment sur la question du front républicain. Je n'ai jamais eu de réponses. Depuis douze ans que je suis au PS, nous n'avons jamais mené de campagne régionale contre le FN. Qu'en est-il de notre stratégie électorale ? Sur quoi repose-t-elle ? Marine Le Pen, un an avant les régionales, savait déjà qui seraient ses têtes de liste aux régionales. Et nous ? Comment évitons-nous de laisser cette région au Front national ?

VII

En finir avec le Front républicain ?

La campagne municipale de mars 2014 a été difficile. Je ne peux pas parler de la municipalité de Fréjus dirigée par le Front national sans revenir sur l'élection et les conditions qui ont porté David Rachline dans le fauteuil de maire. Tout le monde doit assumer ses responsabilités : la droite surtout, mais aussi une gauche qui doit trancher la question du « front républicain », soit notre retrait systématique du second tour lorsqu'il y a un risque de victoire de l'extrême droite. D'autant qu'arrivent des élections régionales où le cas pourrait se présenter dans deux ou trois régions. Dont la mienne.

*

Le 23 mars 2014, jour du premier tour, j'ai passé l'après-midi en thalasso à relâcher la pression. Le soir, toute mon équipe est envoyée dans les bureaux de vote. À notre local de campagne, on recolle les résultats. On comprend très vite que David Rachline est haut. Très haut. Il finit à 40,3 %. Du jamais-vu pour l'extrême droite dans une municipale à Fréjus. Dans certains bureaux, il est à 50 % dès le premier tour. Les listes de droite arrivent ensuite. L'UMP de Philippe Mougin à 18,85 %, le maire sortant « divers droite » Élie Brun à 17,60 % et notre liste de gauche à 15,58 %. Petit à petit, mes colistiers reviennent à la permanence. Tout le monde est sous le choc, dépité, alors que BFM-TV débarque, à l'affût, après une campagne durant laquelle ils nous ont malmenés. S'ensuit alors un affrontement assez violent entre mon équipe et celle de BFM-TV, qui ne filme pas et s'en va. Tout le monde me dit qu'il « faut attendre », « ne pas réagir ». Mes très proches ne veulent pas que je réponde à la presse, disent que ça va être trop dur. Je passe outre, il faut assumer, malgré le vertige. Je veux donner des arguments, des signes de courage à ceux qui sont dans le même désarroi. Je parle à i-Télé, à *Var Matin*... Sauf miracle, la ville basculera au FN. Six mois plus tôt, un sondage nous avait pourtant mis en tête à presque 30 %. Mais dans la dernière semaine avant le scrutin, nous étions à peine à 19 %. David

Rachline, lui, était annoncé très haut. La droite a fait une partie de sa campagne en me pointant comme la représentante du gouvernement. Et ça a fonctionné… Nous avions pourtant essayé de ramener la campagne à des questions locales. De faire vivre un vrai projet municipal. Ça n'a pas marché.

L'extrême droite est dans une dynamique. La médiatisation dont profite David Rachline accentue le phénomène. En revanche, je ne pensais pas que le maire sortant, Élie Brun, ferait un tel score. Son clientélisme lui permet de se maintenir au-delà de ce que tout le monde pensait ici à Fréjus. L'UMP Philippe Mougin, cet homme détesté en ville et dont les gens se moquent, arrive pourtant deuxième. Dans cette campagne, les retours que nous avions venaient d'un microcosme. Pas de ceux qui ont fait l'élection. Nous avons sous-estimé ceux qui habitent dans cette ville mais n'y vivent pas. Ceux qui travaillent à Sophia-Antipolis dans les Alpes-Maritimes, ou ailleurs dans le Var. Nous n'avons pas eu de prise sur eux. Nous avions pourtant fait des propositions, tracté dans leurs quartiers, fait du porte-à-porte… Mais ils ont voté pour des considérations nationales. Et ce sont eux qui ont fait l'élection. À Fréjus, ils se sont mobilisés à vingt points de plus qu'aux municipales précédentes. Ici, la forte participation a favorisé le Front national. Non l'inverse.

Vers 23 heures, nous nous sommes retrouvés en petit comité dans la permanence électorale pour prendre une initiative. Nous étions les seuls capables de parler aux deux listes de droite, qui se détestaient. J'ai alors pris mon téléphone et appelé François Léotard. L'ex-maire de Fréjus et ex-ministre de la Défense est une figure historique de la ville. Ce n'est pas tant l'homme politique national que les Fréjusiens reconnaissent mais l'ancien maire proche de ses administrés. Il a présidé le comité de soutien du candidat UMP. Nous nous respectons. Il est comme moi, sous le choc, conscient de la gravité de la situation. Je lui demande :

– Vous avez vu les scores ?

– Oui. J'allais vous appeler.

– Il faut voir ce que nous pouvons faire pour éviter ça à notre ville.

Nous nous retrouvons chez lui ce dimanche vers minuit avec une personne de mon équipe. J'ai complètement perdu ma voix. La femme de François Léotard me fait gentiment un thé au miel. Pour contrer le mouvement Rachline, nous sommes d'accord : il faut annoncer un rassemblement dès lundi midi. Ça part mal : Philippe Mougin, le tête de liste UMP, n'a même pas appelé François Léotard… Les résultats par bureau de vote, celui-ci les a obtenus par la bande. Chez lui ce dimanche soir, l'ex-maire a invité un colistier de Philippe Mougin, Jean-Claude Tosello. Cet ex-adjoint aux affaires économiques d'Élie Brun a, un temps, été pressenti par toute la droite locale pour être la tête de liste. C'est un républicain. Pour François Léotard et moi-même, il peut être la solution d'une union face à David Rachline. En quelques minutes, nous tombons d'accord : au-delà de nos différences, la ville ne doit pas être offerte au FN. L'ancien maire synthétise le problème : « Nous avons suffisamment d'expérience les uns et les autres : il faut que l'arc républicain soit net. Sinon le FN gagnera. »

Philippe Mougin est détesté par l'ensemble des autres listes. Sa campagne sur la mosquée a laissé des traces, notamment à gauche. Il est allé trop loin. Et dans le camp d'Élie Brun, il symbolise la trahison. Seul un attelage avec une tête de liste nouvelle peut nous éviter de tomber dans le piège de l'« UMPS » tendu par le FN. Cela peut encore nous offrir une dynamique susceptible de contrer David Rachline. Nous demandons d'emblée qu'un homme nouveau prenne la tête de la liste. L'option Tosello nous met vite d'accord : il doit mener le rassemblement et panacher sa liste en fonction des résultats du premier tour. Qu'en pense-t-il ?

– Si Mougin me le demande, oui, répond-il.

– Mais Mougin ne te le demandera pas ! lui rétorque Léotard. Par contre, c'est la seule solution.

Au vu de la situation, chacun doit prendre ses responsabilités.

– Justement, on a une réunion demain matin à 9 heures pour parler de la suite, lui annonce Tosello.

François Léotard n'a pas été prévenu :

– Je ne suis pas invité à cette réunion. Il faut que tu poses cette option dès demain !

J'interviens alors :

– Monsieur Tosello, non seulement il faut que vous mettiez votre candidature sur la table mais il faut que vous prépariez cette réunion avec ceux qui sont sur votre liste.

Si je reviens sur cette anecdote, c'est qu'elle illustre malheureusement l'amateurisme de certains à droite dans cette élection. Ils n'ont jamais fait de politique et n'ont pas eu le courage d'empêcher le FN de prendre la mairie. Jean-Claude Tosello n'a eu qu'une seule trouille : celle de passer pour un traître. On a tenté de lui démontrer que la question n'était pas de savoir comment il apparaitrait mais comment, collectivement, on construisait autre chose. Dans cette histoire, il pouvait aussi bien être le sauveur de la ville ! Mais Fréjus et ses habitants étaient alors absents des préoccupations des équipes d'Élie Brun et de Philippe Mougin…

Aller chez François Léotard ce soir-là m'a replongée dans mon histoire familiale. J'ai été marquée par les législatives fréjusiennes des années 1990. Je revois mon grand-père, malade pendant des jours parce qu'il lui fallait choisir à l'époque entre François Léotard et le Front national au second tour des municipales de 1995. Il travaillait dans une entreprise de travaux publics. Il connaissait par cœur les pratiques locales. Mais il se résignera à voter Léotard. En 2014, je me retrouve dans la même situation. Le fait de tout tenter pour éviter le FN à la mairie est une évidence pour moi. Cette vision peut paraître désuète mais j'ai beau la tourner dans tous les sens, les fondements mêmes de notre République, les valeurs qu'elle porte, ont quelque chose de sacré. Ce qui compte, c'est l'intérêt de la ville. Sortir ceux qui sont inacceptables dans les équipes des uns et des autres et éviter le pire.

Lorsque nous quittons la résidence de François Léotard, je reste dubitative. À raison : la réunion de la liste UMP du lundi matin est une catastrophe. Personne n'a été appelé. Philippe Mougin débute en disant : « Je suis deuxième. J'ai gagné. Les électeurs se sont fait peur au premier tour. Au second ils vont revenir vers nous. » Une de ses colistiers pose la question de la gauche. Elle se fait huer… Le débat est clos. Jean-Claude Tosello ne dit rien. Après la réunion, les plus centristes de cette liste m'appellent pour qu'on se voie. Au même moment, une autre partie de mon équipe est avec les colistiers d'Élie Brun. Chez eux, l'ambiance est totalement différente. Une demi-heure après le début de l'entretien, ils sont prêts à signer tout accord qui leur permette de préserver un minimum de pouvoir sur la ville. Les quelques veto que nous mettons sur des membres de leur équipe sont vite balayés. La question de la place d'Élie Brun est posée. Tout semble possible y compris son retrait, lui-même n'exige pas de rester. Ce qu'il veut, c'est que Philippe Mougin ne soit pas tête de liste. Tarik, Sébastien et Clotilde, les représentants de mon équipe, rappellent les relations affairistes qui ont marqué la mandature. On leur donne raison sur tout. Encore une fois, entre les deux listes de droite, il ne s'agit pas de l'intérêt de la ville mais d'un combat d'ego. Leur guerre est personnelle. Leur responsabilité sera collective.

Pendant ce temps, Philippe Mougin n'a toujours appelé personne... De mon côté, j'arrive à joindre Georges Ginesta. Le maire UMP de Saint-Raphaël, ville jumelle et limitrophe de Fréjus, est aussi député et l'un des patrons du département. « On est allés voir les proches d'Élie Brun à qui vous ne parlez pas, lui dis-je. Ils sont prêts à tout ! Brun est d'accord pour se mettre en retrait. La seule chose qu'ils demandent, c'est le retrait de Philippe Mougin comme tête de liste. Il n'est pas question pour eux d'avoir comme bilan l'abandon de la ville au FN. » Mais rien ne se passe. Il ne veut pas entendre parler de quoi que ce soit. Ni discussion ni solution. Il feint de ne voir aucune responsabilité pour sa famille politique. Lui, le tenant du « ni PS ni FN », pousse même jusqu'à me renvoyer la responsabilité de l'arrivée du FN si je ne me retire pas.

Ce lundi en tout début d'après-midi, je pars ensuite voir Élie Brun dans sa maison. Le maire sortant est amorphe. Il me demande de faire liste commune avec lui alors que j'ai été son opposante la plus farouche pendant six ans.

– Vous et moi, on va faire une liste ! Ça va aller ! me lance-t-il.

– Non, on ne va pas faire une liste vous et moi. Ça ne nous fait pas gagner et ça ne sert à rien.

– Mais si ! On va lui faire la nique à Mougin ! On va y aller !

– Vous ne comprenez pas : je vous dis que s'il n'y a pas tout le monde face à Rachline qui fait 40 % au premier tour c'est mort !

C'est une scène irréelle de plus de cet entre-deux-tours. Élie Brun est là, avec son chien, sa fille, son plus proche compère – lequel est passé aujourd'hui au FN –, mon secrétaire de section et moi. Si j'avais voulu, ce jour-là, je prenais la tête de liste. J'essaie d'expliquer à Élie Brun qu'il doit travailler à ce que la droite se parle, utiliser ses réseaux en ce sens.

Mon directeur de campagne lui demande s'il a eu des contacts avec les leaders de droite, notamment avec Hubert Falco. Le maire de Toulon est connu pour être plutôt républicain. Élie Brun n'avait même pas pensé à l'appeler… Il le fait devant nous. Depuis des mois le clan d'Élie Brun navigue à vue. Ils n'ont même plus les réflexes élémentaires. L'ambiance dans son équipe est exécrable. Ses colistiers se sont réunis pour décider de leur stratégie, puis se sont fait insulter par leur leader. Brun les a traités de « nuls », leur a dit qu'il préférait « encore son clébard » à eux. La fin de règne de la droite locale ressemble à la fin de Rome. La déchéance est totale.

Devant l'irresponsabilité de la droite, je décide de parler à la presse dans l'après-midi. Je leur livre tout ce qui est sur la table. La teneur des discussions, ce que je tente de faire… ou plutôt d'éviter. Puis, le soir, j'explique à mon équipe la situation en leur disant qu'« on va à la catastrophe ». Je sors et – surprise ! – je reçois un coup de fil de Philippe Mougin :

– Bon ! Il paraît qu'il faut qu'on se voie ?

Je lui réponds :

– Je sais pas… Il paraît qu'il y a une élection.

Nous nous retrouvons dans un local municipal qui jouxte un poste de police. Il est presque 22 heures. Il pleut. La salle est grande, froide. Nous installons deux chaises au milieu d'une pièce vide. Des soirées comme celle-ci, le décor résume l'ambiance. Philippe Mougin est tout sourire.

– Mon équipe voulait que je vous voie, commence-t-il. Eh bien voilà...

– On se voit pourquoi monsieur Mougin ? Vous avez conscience de la situation ?

– Vous dramatisez...

– Mais le FN fait 40 % !

– Oui... Mais les électeurs ne sont pas bêtes. Ils ont compris qu'ils ont fait une bêtise. Maintenant, le bon sens va prendre le dessus et ils vont venir voter pour moi au second tour. Vous pouvez même vous maintenir.

Je pense alors qu'il se fiche de moi.

– Non... Ne le prenez pas comme ça, poursuit-il. Je trouve ça bien qu'on se parle.

– Moi aussi, mais ça arrive un jour trop tard. Que faites-vous demain ? Vous avez le bordel dans votre équipe. Brun va se maintenir et vous faire la peau parce que la seule chose qui l'intéresse c'est de vous faire perdre.

– Mais c'est moi qui ai gagné, je suis deuxième, me dit-il avec le sourire.

Il est aussi ébahi que moi de son score. Je lui parle de la ville. Du FN pendant six ans. Rien ne l'ébranle. Sa seule réponse est : « Je suis deuxième. » Je finis par me dire que son comportement est inconséquent. Je perds mon temps. Je lui fais part tout de même de la catastrophe vers laquelle Fréjus se dirige, mais il ne veut rien entendre, même lorsque je lui déroule le film de sa défaite annoncée. François Léotard n'a, hélas, plus aucune prise sur cette droite locale en pleine dérive. Lorsque je vois Philippe Mougin, ils ne se sont visiblement toujours pas parlé. Ils ne se parleront que le mardi matin, quand j'apprendrai que le candidat UMP a redéposé sa liste.

Après ce tête-à-tête avec Philippe Mougin, je rentre. La soirée n'est pas finie. J'ai un échange téléphonique avec le conseiller politique du premier secrétaire du PS. C'est le premier appel de « Solférino » depuis la déflagration des résultats. Le conseiller me demande ce que je vais faire. Je lui dis qu'on est en train d'essayer de faire un front républicain pour éviter le pire. Il me dit que la ligne c'est de se retirer. Je lui fais remarquer que personne ne m'a consultée avant de le déclarer dans les médias. La discussion est difficile et courte. Je sais ce que j'encours à me maintenir, je connais les règles. Il me les rappelle. Je lui réponds tel que je ressens les choses à ce moment-là : « Vous pouvez m'exclure du parti. Je ne serai ni la première ni la dernière. Je sais que c'est la ligne mais je ne suis pas convaincue que ce soit le meilleur moyen de pouvoir se battre pendant six ans. » J'ai jusqu'au lendemain, mardi 17 heures, pour me décider. Dans ces moments, le temps paraît à la fois terriblement long et très insuffisant... Malgré l'équipe qui m'entoure, je suis seule face à moi-même, face à ma conscience de militante de gauche. Je ne sais pas s'il y a une bonne solution, je cherche juste à trouver celle qui me paraît juste pour ma ville et mon combat. À Fréjus, nous avons toujours décidé en équipe, mais cette fois-ci c'est seule que je dois me déterminer. Ce sera la décision la plus difficile que je prendrai. La plus formatrice aussi.

Le mardi matin, devant la mairie, un « rassemblement des républicains » s'organise. Il s'agit d'en appeler à l'union face au FN. Mon équipe est là, en nombre. Les fidèles d'Élie Brun ont, eux aussi, mobilisé. La foule est mixte, métissée. Une scène irréelle se déroule alors sous nos yeux : les personnes présentes cheminent jusqu'à la permanence de Philippe Mougin. Les deux personnes qui gardent la salle insultent la foule venue demander l'unité. Le mouvement devient un improbable théâtre de la division. Je comprends que c'est terminé. Qu'il sera impossible de se fédérer pour empêcher le FN de prendre la mairie. Ce qui se déroule est d'une violence symbolique inouïe. Entre-temps, j'apprends que le candidat UMP est allé redéposer sa liste en l'état : sans prévenir ses proches, ni François Léotard. L'ex-ministre est affligé. Il me dit : « Faites ce que vous voulez, je vous soutiens. » Je n'ai pas encore décidé.

Philippe Mougin arrive sur place. Son sourire ne l'a pas quitté depuis lundi soir. Il ne peut même pas rentrer dans sa permanence. Il est désigné comme coupable par les manifestants, qui commencent à le prendre à partie. Débute alors une course-poursuite dans la ville, digne des fictions de cinéma. Une foule de deux cents personnes suit Philippe Mougin dans les rues sinueuses du centre-ville et lui envoie des : « Va-t'en ! Dégage ! » La ville est en lambeaux. Le fruit est mûr. David Rachline n'a plus qu'à le cueillir.

Dans une telle situation la raison ne prend pas le dessus. Chacun décide d'aller redéposer sa liste pour mettre la pression sur Mougin. C'est un coup de bluff de dernière minute pour qu'il prenne enfin conscience de la situation. Je pars pour Draguignan, la sous-préfecture du Var. C'est alors que je reçois mon premier coup de fil d'Harlem Désir depuis dimanche. Le premier secrétaire du PS de l'époque tente de me convaincre de me retirer, de ne pas déposer la liste Je lui réponds :

– C'est trop tard. Je suis devant la préfecture, j'ai redéposé.

Pourtant, ce n'est pas vrai. Je n'ai pas encore pris ma décision mais je ne veux pas de pression. La discussion avec Harlem est difficile mais c'est une vraie discussion politique.

– Je comprends. J'entends ta position, me dit-il. La question du combat et des moyens face au FN est légitime. Mais aujourd'hui, c'est la question de l'après qui se pose. De la responsabilité face à la victoire du FN…

– Justement. Que fera le parti pour nous aider à Fréjus ? Quelle garantie je peux avoir qu'il m'aidera depuis l'extérieur si je fais une croix sur notre présence au conseil municipal ?

– Pourquoi veux-tu rester dans le conseil municipal ?

– Comment on se bat sinon ? De quels moyens dispose-t-on ? Comment aura-t-on accès à l'information ? Pendant six ans, c'est ce qui nous a permis d'exister face à la droite.

– Mais si les gens avaient voté en fonction du travail que tu as fait, ils t'auraient placée première ou deuxième… Ce n'est pas le cas. Tu as bossé comme une dingue pendant six ans. Ça n'a pas payé. C'est malheureux mais c'est comme ça. Ça ne s'est pas joué au conseil municipal. Mais si tu te maintiens, tu vas en garder des traces toute ta vie. On considérera que tu as ta part de responsabilité dans l'arrivée du FN. Comme les autres.

– J'entends ce que tu dis. Mais il nous faut tenir six ans de combat, on n'aura plus de tribune, plus d'outils d'opposition interne.

Sa réflexion est pourtant juste. Elle me touche. On ne peut pas faire le procès à Harlem Désir, figure de l'antiracisme en tant que fondateur de SOS Racisme, de ne pas vouloir se battre contre le FN. Lorsque je mets mon ego de côté, son argument me perturbe : si les gens avaient voulu reconnaître le travail municipal que nous avons effectué, ils l'auraient fait. Or lorsqu'on se bat pendant six ans au sein d'un conseil municipal et que seulement 16 % des votants vous en savent gré, cela signifie que ce qui détermine les gens, ce n'est pas l'action réelle. Le FN n'a jamais bataillé en conseil municipal. David Rachline préférait sortir fumer une cigarette plutôt que de suivre les débats. Il allait prendre son train pour Paris lorsque les conseils duraient trop longtemps. Son score : plus de 40 %. La politique est-elle un combat de dossier ou une histoire de com ? La discussion que j'ai avec Harlem Désir m'oblige à répondre à cette question.

L'équation qu'il me faut résoudre est la suivante : pour s'opposer le plus efficacement au FN pendant six ans, vaut-il mieux être dans le conseil municipal ou à l'extérieur ? Est-ce que je reste pour garder mon poste de conseillère municipale ou bien pour mener un combat qui soit le plus efficace possible ? Il v a aussi ce que l'on vit, l'état de déliquescence totale dans laquelle la ville se trouve, l'ambiance délétère.

Quand on voit des gens courir après un type et lui dire : « Va-t'en ! », on ne veut pas en être.

J'ai besoin de respirer un peu. Aussi sereinement que possible. Je m'arrête dans un café, je pose les choses : je ne suis pas sûre qu'être présente au conseil municipal me donnera plus de visibilité. Et en même temps, je sais que la presse locale ne m'a jamais reconnue avant que je sois élue au sein de cette assemblée. Cette légitimité face à la droite, nous l'avons gagnée au sein du conseil municipal. Mais ça n'a rien changé. Quel est le but du combat local ? Être utile aux Fréjusiens ? Je n'ai pas l'intention d'arrêter de me battre parce que je ne suis plus au conseil. Pour être militante locale, a-t-on forcément besoin d'être élue locale ? Ce qui déterminera ma décision c'est d'avoir l'impression d'être embarquée avec des gens qui n'ont aucun sens de la gravité de ce qu'il se passe.

Je décide de ne pas redéposer la liste. De me retirer purement et simplement du second tour. Et de dire à la droite : « Assumez. Assumez seuls ce que vous faites à notre ville. » Je prends cette décision contre l'avis de mon équipe. Contre celui de mon directeur de campagne qui est par ailleurs mon mari. Lui, a connu Toulon en 1995. Il ne croit plus au « front républicain » avec cette droite varoise qui s'est tant rapprochée des positions du FN jusqu'à s'y confondre. Il y a vingt ans, il était pour. Aujourd'hui, il pense que cela ne sert plus à rien. Mon binôme, Sébastien Poinat, mon compère de conseil municipal, nous rejoint. Il est dévasté. Il partage mon choix. Nous assumerons tous les trois. La pause est courte. Il faut gérer la suite.

De retour à Fréjus, j'improvise une conférence de presse pour annoncer mon retrait. Sur le chemin, j'appelle mon président de région, Michel Vauzelle. Je lui fais part de ce qu'il se passe et des conséquences : plus d'élus municipaux à Fréjus, une grande ville du Var qui va basculer au FN. Notre région qui, une fois encore, va connaître des points noirs sur la carte. J'appelle aussi François Léotard. Au regard du rôle qu'il a joué durant cet entre-deux-tours, de sa proposition de me soutenir si je me maintenais, je veux l'informer de ma décision. Il est surpris. Je suis touchée par sa réaction. Nous ne sommes pas du même bord mais nous partageons cette haute idée de la République. Notre échange est bref mais empreint d'estime. Sa femme résumera par ce simple SMS : « Respect. » Effectivement, en prenant cette décision, j'ai le sentiment de m'être respectée moi-même. D'avoir agi selon mes convictions.

La conférence de presse est de la pure folie médiatique. Le bar qui nous accueille n'arrive plus à gérer l'afflux de journalistes et de Fréjusiens qui veulent savoir où va leur ville. Un journaliste me demande :

« Vous dites que vous avez peur pour demain, de voir grandir vos enfants dans une ville FN ? » En répondant à cette question les larmes montent. Je me demande quelle société on va laisser en héritage à nos enfants, quelles valeurs… Je vois les regards racistes sur mes enfants. Ils sont franco-algériens parce que leur père et leurs grands-parents paternels ont fui les islamistes en Algérie en 1991. Je sais que nous les accompagnerons pour affronter cela mais s'il y a une raison pour laquelle je me suis engagée, c'est la lutte contre ces injustices. L'engagement politique est noble lorsqu'il s'agit de convictions profondes, pas de tactique. J'ai le devoir de ne pas oublier de quoi mes enfants et moi sommes faits. Et l'histoire, hélas, a tendance à se répéter… J'ai cette conscience profonde de ce que cela représente comme péril collectif. Une droite, même engluée dans les affaires, ne met pas autant en danger nos racines républicaines qu'un FN qui assume la mise à mort du vivre-ensemble. Combien de Varois, comme beaucoup de Français, sont, comme moi, issus de cette histoire des républicains espagnols ou de ceux qui fuyaient le fascisme italien ? Comment les électeurs peuvent oublier cette histoire ? En aucun cas, je ne veux renier ceux qui ont relevé la tête à ces moments de l'Histoire. Dans cette décision de se retirer, c'est un peu tout cela qui se joue. Je suis sincèrement blessée de constater que cela ne provoque pas la responsabilité des candidats de droite.

Après la conférence de presse, nous avons une réunion d'équipe. Un colistier me dit que je l'ai trahi. Il ne sait rien du combat mené depuis dix ans, il est absent de ceux menés depuis mars 2014. Mais déjà, mon choix ne m'appartient plus. À ce moment-là, je sais ce qui m'a fait prendre cette décision, mais pas si elle sera bonne ou non. Je sais que la droite a décidé de nous envoyer dans le mur. L'UMP en rajoute. La condescendance de Georges Ginesta et de Philippe Mougin, qui me félicitent d'avoir écouté les consignes de mon parti, est insupportable. Le soir de la victoire du FN, la tête de liste UMP dira que j'ai été digne. Et lui ? Quelle dignité a-t-il eue ? J'ai refusé de donner une consigne de vote. Je ne pouvais choisir entre une UMP qui a surfé sur les thématiques du FN pendant toute la campagne et la dérive affairiste d'Élie Brun. J'ai eu ces mots durs, mais qui sont encore plus vrais que jamais : je ne peux pas faire de front républicain car j'ai bien du mal à trouver des républicains à Fréjus.

La soirée est éprouvante. Mais, étrangement, la nuit est meilleure. Je suis en phase avec moi-même.

Pour montrer que je ne jette pas l'éponge comme ça, mais que c'est le début d'un autre combat contre le FN, je décide, le mercredi matin, d'aller boire un café à 9 heures sur la place de la mairie. Alors que mes pleurs passent en boucle sur les chaînes d'information, je veux être debout dans ma ville. C'est important pour moi d'être là, la tête haute pour mener le combat jusqu'au bout. Mes colistiers me rejoignent à la terrasse du café. Beaucoup de monde vient me saluer, me remercier, me demander si les autres vont nous éviter ça. Je sens un décalage entre ceux qui ont fait le résultat de dimanche soir et ceux qui font vivre la ville.

Le Parti socialiste n'était pas préparé à un tel choc. Ni les instances nationales. Ni la fédération départementale du Var. Durant l'entre-deux-tours, le seul contact que j'aie avec ma première secrétaire fédérale, c'est un SMS dans lequel elle me demande : « Des journalistes cherchent à me joindre pour savoir ce que tu fais. Je leur réponds quoi ? » Je n'ai pas répondu. En revanche, les responsables de la section PS de Fréjus ont eu ceux de la fédération au téléphone. Ils leur ont donné la consigne, en contradiction totale avec la ligne tracée par la direction nationale et Harlem Désir, que je me maintienne. Les socialistes ne sont plus structurés. Tout est désorganisé. Dans cet entre-deux-tours, si je n'ai pas de lien direct avec le premier secrétaire pour avoir été dans le même courant que lui, je suis toute seule... Le jeudi, au lendemain de ma conférence de presse, la seule qui m'appelle est la sénatrice de Paris Marie-Noëlle Lienemann. La députée Sandrine Mazetier me témoignera de l'amitié. Et le mardi qui suit la victoire de David Rachline, au bureau national du PS à Paris, Harlem Désir me fait applaudir. C'est ce que j'ai le plus mal vécu : aucun de ces camarades qui me félicitent d'avoir pris cette décision ne s'est manifesté. Même Harlem Désir a oublié de me passer un coup de fil le dimanche lorsque le FN faisait la fête en ville.

Le PS est un parti de combats individuels. L'inverse de ce qu'est devenu le Front national. C'est aussi une des raisons qui expliquent notre incapacité à porter des batailles collectives. Certes, en cette fin mars 2014, notre parti est tétanisé. Sous le choc. Chacun est en train d'essayer de sauver sa ville. Mais le combat n'avait pas été préparé. Le parti n'avait pas construit de riposte au FN. Le 21 avril 2002, lorsque Jean-Marie Le Pen accède au second tour de l'élection présidentielle, nous avons vu passer le boulet. Qu'avons-nous fait depuis ? Nous n'avons pas suffisamment réfléchi. Le parti n'a pas assez travaillé. Par exemple, dans le Var, nous n'avons pas de carte électorale du vote FN. Nous sommes pourtant les premiers concernés depuis 1995. Ici, nous avons vécu la chute de Jean-Marie Le Chevallier à Toulon en 2001 comme la fin du combat. D'autant plus qu'en 1997 nous avons eu deux députés. Mais le FN a continué de progresser dans tout le département. Aujourd'hui, il dirige trois communes, a un conseiller général et un sénateur dans notre département. Avant, la possibilité que David Rachline gagne à Fréjus ou que l'extrême droite empoche quinze villes aurait déclenché une grande manifestation. Il n'y a rien eu de tout cela en 2014. La victoire du FN devient banale.

Le Parti socialiste a du mal à traiter les difficultés grandissantes que pose le front républicain. Le sujet risque pourtant de se présenter avec encore plus d'acuité lors des régionales de décembre 2015. Que ferons-nous si, en Provence-Alpes-Côte d'azur ou en Nord-Pas-de-Calais-Picardie, une liste PS arrive derrière le FN et la droite comme c'était le cas à Fréjus en mars 2014 ? Nous nous retirons au risque de disparaître des conseils régionaux alors que nous venons de donner des pouvoirs supplémentaires aux régions ? Pour l'instant, les dirigeants socialistes évitent de mettre ce sujet sur la table. Or, nous ne pouvons pas préparer les régionales sans nous interroger. Si nous attendons l'entre-deux-tours, ce sera trop tard... En débattre maintenant, c'est aussi poser la question à la droite. Dresser un cordon sanitaire et dire : « Et vous ? Que ferez-vous ? Êtes-vous prêts à signer une charte de "front républicain" dans l'entre-deux-tours ? »

Alors ? Maintien ? Désistement ? Fusion ? Je ne tranche pas encore cette question. La fusion avec des listes de droite sur des régionales, c'est l'« UMPS ». On ne s'en relèverait pas... Quelle lisibilité politique aurait un « accord technique » d'union avec la droite pour empêcher le FN ? Je ne suis même pas sûre qu'une telle liste l'emporterait. Comment expliquerions-nous qu'il est possible de s'allier avec cette UMP-là ? Comment convaincre qu'elle est différente du FN lorsqu'on lit ou entend les propos de ces dirigeants de droite sur l'immigration ? L'autre question que nous devons nous poser est : considérons-nous que le FN s'est banalisé ? Si la réponse est non, alors nous devons nous retirer. J'entends que c'est compliqué. Que nous n'aurions plus de cadres élus dans toute une région. Que nous serions rayés de la carte. Peut-être aussi que le renouvellement passe par là et qu'il faut privilégier la question des valeurs et de la « morale », comme j'ai choisi de le faire à Fréjus. Si le PS se donne ensuite les moyens de reconstruire et fait émerger des personnalités pour mener ce combat et s'engager sur dix ans, c'est une bonne chose. En même temps, se maintenir, c'est aussi se donner des moyens d'élus pour construire une opposition efficace à l'extrême droite et à cette partie de la droite qui s'en rapproche.

VIII

UN « FORUM » POUR RECONSTRUIRE

Dès la semaine suivant l'élection de David Rachline à la mairie de Fréjus, nous avons souhaité aller vite dans la construction d'une opposition locale au Front national. En prenant la responsabilité de retirer ma liste, j'ai dû aussi assumer le fait que la gauche serait absente du conseil municipal pendant six ans. Il fallait donc prendre une initiative rapide pour se battre en dehors. J'ai lancé un appel à un rassemblement citoyen et républicain. Cet appel a réuni des personnes de plusieurs horizons. Nous l'avons baptisé : « Forum républicain ».

*

J'ai plaidé pour que cette nouvelle organisation soit structurée en association afin d'éviter que des citoyens

« viennent voir » puis s'en aillent, comme c'est souvent le cas dans des collectifs bien moins ordonnancés. Nous voulions tout de suite donner un cadre de combat anti-FN pour ne pas se retrouver piégés par la « bonne gestion locale » qu'on prête bien trop vite à David Rachline. Nous l'avons donc tout de suite positionné sur la promotion du vivre-ensemble et la lutte contre le Front national. L'une de nos premières actions a été de riposter au choix du maire de retirer le drapeau européen du fronton de la mairie en pleine campagne pour les européennes.

Le 9 mai, journée de l'Europe, nous avons ainsi voulu montrer ce qu'elle a de positif. Nous avions déjà lancé une pétition contre le retrait du drapeau européen, mais juridiquement, nous savions que David Rachline était dans son droit. Comment valoriser l'Europe ? Montrer sa diversité ? Nous avons demandé du matériel de promotion de l'Europe à la représentation de la Commission européenne à Marseille : banderoles, petits drapeaux, musiques… Nous voulions quelque chose de festif. David Rachline a très mal vécu cet affront. Son directeur de cabinet a appelé la représentation de la Commission européenne à Marseille pour expliquer que c'était inadmissible. Nous avons organisé cet événement sur une place. Comme une manifestation. Le maire a illico écrit au préfet pour lui demander d'annuler les autorisations de rassemblement et de manifestation. Pour quel motif ? « Troubles à l'ordre public. » Ça ne tenait pas... Pouvoir de maire ? Nous étions sur une place donc nous ne gênions pas la circulation. La seule chose qui restait, c'était le bruit. David Rachline a prétexté les nuisances sonores. Manque de chance pour lui : c'était le week-end de la Bravade. Jusqu'à 1 heure du matin, il y avait des tirs au pistolet dans toute la ville ! Le préfet a donc envoyé une fin de non-recevoir à la demande d'annulation. Notre premier coup a réussi. Nous avons fait un beau et grand rassemblement. François Léotard, très choqué par ce symbole de retirer le drapeau, a répondu à l'invitation. Pas le reste de la droite. Promouvoir la paix et l'Europe dans sa diversité, ce n'est pas quelque chose de forcément bien reçu ici. L'Europe n'est pas un sujet populaire.

Le Forum républicain a aussi décidé de ne pas laisser le terrain libre aux rassemblements nationaux du FN, qui sont nombreux depuis que celui-ci a gagné la ville. Lors de l'université d'été du FNJ, le Forum républicain a voulu valoriser le vivre-ensemble par l'élaboration de journées autour de la culture et de la convivialité. Nous avons organisé des tournois de foot, de boules carrées, un atelier d'écriture et de théâtre, des ateliers de peinture, une soirée débat autour de la projection d'un film engagé sur l'immigration.. Nous voulions poser modèle contre modèle : celui d'une société fragmentée et xénophobe face à une société de la solidarité et du vivre-ensemble. Le Fréjus que nous aimons face au Fréjus qu'ils abîment.

Lorsque nous avons fait la proposition de mettre sur pied ce rassemblement citoyen, certains expliquaient que c'était « trop tôt », qu'il y avait eu un « choix démocratique » ou qu'il fallait « donner [sa] chance » au FN. Je reste convaincue qu'il ne fallait pas attendre. Ont-ils attendu plus de huit mois pour montrer leur vrai visage ? D'autant plus que le fait de m'être retirée dans l'entre-deux-tours m'a apporté une certaine crédibilité pour aider à la constitution de ce « Forum ». Beaucoup de personnes se sont dit : « Elle n'est pas comme tout le monde », « Pour elle, la lutte contre le FN est plus forte que tout le reste. » Peut-être cela aidera-t-il les gens à se tourner vers nous. Fréjus, en quelque sorte, c'est l'anti-Toulon. En 1995, malgré le risque de voir le FN l'emporter, la gauche s'était maintenue dans une triangulaire. Depuis, les socialistes sont rayés de la carte là-bas. Nos électeurs votent désormais à droite dès le premier tour dans un nouveau vote utile. À Fréjus, tous les opposants au FN avaient « Toulon 1995 » en tête. Des copains l'ont vécu sur place. Mais Toulon, c'était différent. La gauche était divisée. Là, la division a touché la droite. Il fallait à tout prix éviter de se lancer dans une guerre fratricide.

On s'est posé ensuite beaucoup de questions : Comment travaille-t-on avec la droite ? Est-elle prête à lutter contre le FN ? Comment le Forum se présente-t-il vis-à-vis des prochaines échéances politiques ? Aujourd'hui, c'est un fait, le combat républicain contre le FN est malheureusement un combat qui n'est porté que par la gauche, dans sa diversité. Quand j'ai cherché à organiser au mieux la « résistance » au FN à Fréjus j'ai rencontré beaucoup de responsables associatifs, politiques. Je reste marquée par les mots de Malek Boutih, ancien président de SOS Racisme et aujourd'hui député PS de l'Essonne. En substance, il m'a dit de ne pas trop m'inquiéter de savoir si j'étais trop offensive ou pas, j'allais vite être ramenée à la triste réalité : celle de devoir compter les troupes prêtes à se battre. J'ai trouvé cela cru, mais il avait raison.

IX

La préférence communautaire

En matière de laïcité, David Rachline applique à la lettre la ligne de Marine Le Pen : faire croire, lorsqu'il s'attaque à une population, qu'il est plus laïc que les laïcs. Le maire de Fréjus porte une vision communautariste de la laïcité. Une vision qui n'a rien à voir avec celle de la loi de 1905 qui consacre le principe de séparation des Églises et de l'État mais aussi le respect des cultes à pouvoir pratiquer leur religion.

*

Tout en brandissant le principe de « laïcité » et son « combat contre les communautarismes » lorsqu'il s'agit de s'opposer au projet de mosquée, David Rachline apprécie de se rendre à la synagogue, la cathédrale, la pagode… Le 19 septembre 2014, il a même participé à une cérémonie religieuse de bénédiction pour l'extension de l'école privée catholique Saint-François-de-Paule[1]. Mais le plus choquant, ce sont ses visites à la synagogue. Le 26 avril 2014, David Rachline a présidé les commémorations de la journée en mémoire des déportés. Comme chaque année, la synagogue de Fréjus a ensuite organisé une veillée. Depuis 2002, j'y participe. L'an dernier, lorsque je suis arrivée à la synagogue, je me suis décomposée. Le président de l'association cultuelle israélite y avait invité le maire, représentant d'une formation politique de l'extrême droite française et de tout ce qu'elle porte dans son histoire : l'antisémitisme, la collaboration avec l'Allemagne nazie, sa participation à la déportation des Juifs depuis la France vers les camps de la mort... Ce jour-là, David Rachline était dans cette synagogue, accompagné d'une petite équipe. Kippa sur la tête, il était installé devant, sur les bancs d'honneur. Voir le FN se lever et chanter – de bon cœur ! – le *Chant des marais* fait froid dans le dos. Surtout que quelques jours avant, une vidéo tournée en 2012 avait fait son apparition sur le web. On y voit le futur maire en train de se marrer sur « la voiture du Führer[2] ».

1. https ://twitter.com/david_rachline/status/512916196908621824

2. http://www.dailymotion.com/video/x1nd99k_david--rachline-plaisantait-sur-le-fuhrer_news

Le clientélisme électoral du Front national n'a-t-il pas de limites ? Accepter un proche de Jean-Marie Le Pen dans une synagogue, est-ce un « détail » pour la communauté juive d'aujourd'hui ? Son responsable a expliqué que ce n'était pas sa faute si les politiques avaient « tous trahi » et que, même au sein de sa communauté, une moitié vote pour le Front national. Comme s'il avait la garantie que son antisémitisme avait disparu. David Rachline est capable d'aller à la synagogue, kippa sur la tête, et quelques semaines après, lors de la cérémonie du 14 Juillet, de citer dans son discours Georges Bernanos, un auteur bien connu pour son antisémitisme. S'il porte un nom d'origine juive, David Rachline n'est pourtant pas de cette confession. « Mes parents voulaient que je choisisse quand je serais plus grand. Je pense que c'est une bonne chose de laisser le choix. Il ne doit pas y avoir de filiation en religion », expliquait-il en 2011[1]. La religion qu'il dit être la plus « proche de [sa] conscience identitaire », c'est le catholicisme.

Le maire de Fréjus prend ainsi prétexte de « laïcité » pour mieux alimenter son fonds de commerce électoral : la critique des musulmans. Et cette manière de nourrir, comme il le fait, le communautarisme

1. « David Rachline du FN : "Je ne suis pas juif selon les codes" », Rue 89, 11 novembre 2011.

pour mieux dénoncer ensuite une communauté, David Rachline tient cela d'Alain Soral. Ce polémiste proche de Dieudonné et fondateur du groupe d'extrême droite « Égalité et réconciliation » et d'un nouveau parti antisémite, est venu à Fréjus en 2008. « Alain Soral m'avait fait l'amitié de venir me soutenir et avait, à cette occasion, donné une conférence. Une conférence-débat toujours d'actualité et de grande qualité[1] », pouvait-on lire il y a encore quelques mois sur un blog de David Rachline, page web récemment supprimée. C'était pour une réunion publique organisée à l'occasion des élections cantonales, pour lesquelles le futur maire de Fréjus était candidat. Cela ne le gênait-il pas d'être proche de quelqu'un qui tenait des propos antisémites ? « Ce qui me plaisait surtout chez Soral c'était sa critique du libéralisme, expliquait-il. Et puis, on peut être contre la politique internationale d'Israël sans être antisémite[2]. » Une position aujourd'hui bannie par Marine Le Pen. Dans son entreprise de dédiabolisation de son parti, la présidente du FN a coupé les ponts avec Soral et tissé des liens avec des extrémistes en Israël.

---

1. http://davidrachline.hautetfort.com/archive/2009/01/03/retour-sur-soral-a-frejus.html.

2. « Dans le QG secret de Marine Le Pen », *Marianne*, 4 juillet 2014.

Depuis, David Rachline assure qu'il ne le fréquente plus. J'observe cependant que les deux hommes s'apprécient toujours autant sur les réseaux sociaux.

David Rachline a bien appris d'Alain Soral. Dans ses interventions publiques ou ses vidéos sur le Net, le second attise le communautarisme pour mieux combattre le multiculturalisme. Le premier utilise exactement les mêmes recettes dans sa pratique locale. Avant lui, Élie Brun achetait la paix sociale dans les quartiers par son clientélisme. David Rachline répond aux mêmes demandes. Comment réagissent les membres de la communauté musulmane ? Ça en arrange une partie. Notamment les plus jeunes qui disent : « Le FN et le PS c'est pareil. Les deux nous manipulent, les deux nous mentent. » D'autant plus qu'un nombre grandissant de jeunes dans ces quartiers de Fréjus se revendiquent de Soral. Ils sont adeptes de ses vidéos et se structurent autour de cette vision d'une société découpée en « communautés ».

Ainsi, un jour d'octobre, dans le train entre Marseille et Fréjus, je croise un jeune homme. Il a la barbe des musulmans convertis.

– Madame Di Méo, vous ne me reconnaissez pas ?

– Pas du tout…

– Vous étiez ma pionne au collège ! Vous ne vous rappelez pas ? Je faisais plein de conneries à l'époque…

Je me souviens de lui et je commence à discuter. Il m'explique qu'il est à Égalité et Réconciliation, qu'il a trouvé un sens, une structuration idéologique. Il ne s'est pas converti à l'islam parce qu'il n'est pas croyant, mais il me raconte que son problème, ce sont les juifs, et que les musulmans peuvent être une alliance contre les juifs. À l'élection municipale, ce jeune a voté… David Rachline. Le nouveau maire est en capacité d'utiliser les bons ressorts pour plaire à chaque communauté. Il arrive à dresser l'une contre l'autre tout en s'assurant que, dans les deux camps, on vote pour lui. C'est un vrai talent. Il porte d'un côté une conception agressive de la laïcité. Contre les musulmans. Mais il n'a, de l'autre côté, aucun problème à discuter avec eux pour faire croire qu'il est conciliant.

Ce double discours s'applique à la mosquée comme à la cantine scolaire. Durant sa campagne, le futur maire expliquait dans toutes ses réunions d'appartement que avec lui, le temps où les enfants ne pourraient plus manger du porc à la cantine serait révolu. Ce qu'il racontait était faux puisqu'on a toujours servi du jambon et du saucisson dans les cantines de Fréjus. Un plat de substitution est proposé pour les élèves de confession musulmane. Mais depuis qu'il est maire, David Rachline n'a pas pris le risque de suivre ses engagements de campagne. Et lorsque la présidente du Front national fait une déclaration début avril demandant aux maires FN de supprimer les plats de substitution[1], il réagit le jour même en expliquant qu'il s'agissait de la position de Marine Le Pen mais qu'à Fréjus on ne toucherait rien[2].

Cette appropriation de la laïcité par le FN provoque à gauche une vraie volonté de ne pas laisser à l'extrême droite cette valeur. Ce débat nous divise. À Brignoles, suite aux demandes répétées du FN sur les cantines, la députée-maire UMP, Josette Pons, a décidé d'enlever les menus de substitution et de remettre du poisson au menu le vendredi. Doit-on défendre les menus de substitution ? Je suis convaincue que oui. Mais d'autres personnes à gauche estiment qu'on ne doit pas en parler. Pour moi, leur vision de la laïcité est dépassée. Trop tournée « contre » les religions. Aujourd'hui, on se doit d'avoir une vision ouverte qui permette de rattraper un certain nombre d'inégalités et de discriminations. Certains à gauche se demandent par exemple s'il faut aller se montrer dans une manifestation de défense pour la mosquée. Doit-on laisser la place aux seuls

1. « Municipalités FN : Marine Le Pen annonce la fin des menus de substitution au porc dans les écoles », RTL, 4 avril 2014.

2. « Il y aura bien des menus sans porc dans les cantines scolaires de Fréjus », Nicematin.com, 4 avril 2014.

intégristes ? Ce n'est pas une question religieuse mais de vivre-ensemble. À la fédération PS du Var, on m'a demandé si c'était « le bon moment » pour sortir un tract sur la mosquée en pleine campagne sénatoriale. Je l'assume : la défense de nos convictions, surtout sur des questions aussi fondamentales, ne doit s'arranger d'aucun calcul politique.

X

Patriotes ? Vraiment ?

Nous sommes le 14 juillet 2014, jour de fête nationale. La première pour David Rachline dans son nouveau costume de maire, trois mois après son élection. Parmi ses prédécesseurs, aucun n'avait osé utiliser cette date d'union nationale comme tribune politique. Lui oui. Au lieu de s'en tenir à une simple commémoration républicaine, ce dernier a fait le choix d'un long discours, idéologique. Le Front national tente de se débarrasser du qualificatif d'« extrême droite » pour endosser le costume des « patriotes ». Leur patriotisme reste avant tout le nationalisme d'une France repliée sur elle-même.

*

Ce 14 juillet, David Rachline décrit dans son discours une France en péril, dénonce les « ennemis de la République », les « communautaristes » et autres « intégristes » qui « menacent » notre société, éternel couplet sur le « déclin » de la France. Sa référence, ce jour-là, est toute trouvée : c'est Georges Bernanos et son essai *La France contre les robots.* Choisir un auteur certes à la personnalité complexe mais à l'antisémitisme et aux positions monarchistes reconnus, drôle de choix le jour où l'on commémore la prise de la Bastille, la Révolution française de 1789... Lors de cette cérémonie, le maire a fait également exclure les élus du salut aux drapeaux. Habituellement, sous la droite, nous étions tous conviés : les représentants du conseil général, de la région, le député-maire de Saint-Raphaël... Ce jour-là, la vice-présidente du département – de droite – et moi, élue régionale, avons été toutes deux écartées du protocole. Le Front national peut toujours expliquer à Paris qu'il a un comportement républicain, dans les faits, il écarte les élus qui ne lui plaisent pas. Lors de cette cérémonie, le discours de David Rachline était celui d'un idéologue, pas d'un maire républicain. Et illustrait très bien l'équilibrisme du FN sur la République. Les valeurs de liberté, d'égalité, de fraternité et de laïcité sont détournées en faisant appel à un passé, à une philosophie politique claire pour ceux qui ont un peu de culture. Le champ lexical républicain est dénaturé au profit d'une idéologie qui remet en question les fondements mêmes de la République. Celle-ci est brandie pour exclure des ennemis présumés au lieu d'être le terrain de l'émancipation de tous.

David Rachline s'est fait remarquer lors d'une autre commémoration. C'était le 15 août 2014, à l'occasion du 70e anniversaire du débarquement des troupes alliées en Provence. Cette fois-ci, le député-maire de Saint-Raphaël, Georges Ginesta, et les représentants du conseil général étaient absents. N'étaient donc représentées que la ville – par David Rachline – et la région – par moi-même. Mais il y avait aussi le patron du FN Var, Frédéric Bocaletti, simple conseiller régional d'opposition. Le maire a alors tenté de me l'imposer dans le protocole, alors que j'étais seule habilitée ce jour-là à représenter l'institution et à pouvoir déposer une gerbe au nom de la Région. Je l'ai fait savoir aux personnes chargées du protocole. David Rachline l'a entendu, s'est énervé et m'a dit : « Je suis déjà bien gentil de vous accueillir chez moi ! » Chez lui ? Lorsqu'on se dit « patriote », on n'accorde pas « chez soi » un droit d'entrée pour les uns ou les autres le jour d'une commémoration. Cet hommage, c'est celui du peuple, pas le sien. Je lui ai fait remarquer que Fréjus n'était pas une zone hors de la République. Il a continué : « C'est moi qui décide ! Je suis chez moi ! » Je lui ai rétorqué que la politesse n'était pas en option, qu'il devait me parler correctement et que j'étais mandatée pour représenter le président de la région PACA, que ça lui plaise ou non. « Elle ne s'arrête jamais ! a poursuivi Rachline. On va les mettre à 2 %, comme ça elle se taira, vivement qu'ils disparaissent. » Son chef de cabinet a par la suite adressé un mail aux services de la Région pour se plaindre d'un comportement « inapproprié » de ma part. Puis Rachline a raconté – ce qui est faux – que j'ai jeté les gerbes de fleurs par terre par « crise d'hystérie », que je n'ai pas serré la main du maire, que je portais des lunettes de soleil mais pas l'écharpe de la Région. Ce 15 août 2014 était la première cérémonie où les écharpes étaient arborées par les élus. Jusque-là, à Fréjus, il était de tradition de ne pas les mettre.

Si David Rachline est si maladroit lors de ces commémorations, c'est qu'il n'en a fait aucune avant de devenir maire. Pas même du côté du public. Pas une sauf… celle en hommage au général Bigeard[1]. Début novembre, le maire a carrément oublié le salut aux porte-drapeaux. Lors de son passage, il n'en a fait que la moitié. Pour le représentant d'un parti qui se dit « patriote », « républicain », et revendique une forme de monopole des hommages à nos soldats, c'est une

1. Ancien résistant, l'homme est associé à la défense des colonies françaises (Indochine, Algérie) et a notamment participé à la bataille d'Alger.

erreur assez dommageable. Ce jour-là, puisque je suis derrière lui dans le rang protocolaire, j'ai attendu de voir s'il allait faire un second tour devant les porte-drapeaux. Mais le maire n'a pas continué. Je suis alors repartie toute seule faire le tour des autres porte-drapeaux. Une des réservistes m'a alors soufflé : « Merci de ne pas nous avoir oubliés. » Mais pour David Rachline mon geste était un affront. Le FN, donneur de leçons patriotiques, est pourtant censé maîtriser les codes militaires… Ce sont des amateurs. D'autant plus que cette cérémonie ne s'est pas déroulée le 1er, mais le 2 novembre, parce que le 1er, David Rachline était en meeting FN à Istres… « Patriote » peut-être, mais son parti d'abord. Désormais, le maire en fait des tonnes sur le sujet. La délégation aux commémorations a été confiée à son premier adjoint. Rien que pour le 2 novembre, nous avons fait cinq dépôts de gerbes. À ce niveau-là, c'est une utilisation politique. L'une des premières commémorations qu'il a dû faire après son élection concernait l'assassinat d'un résistant fréjusien, Albert Einaudi, par la Gestapo. L'association des anciens combattants proche du Parti communiste français lui rendait alors hommage. Ils avaient souhaité faire cette commémoration sans la présence du maire. Qu'importe… David Rachline a fait une contre-commémoration au nom de la ville.

David Rachline et le patriotisme, c'est une autre supercherie du Front national soi-disant « new-look » de Marine Le Pen. Un moyen comme un autre de gagner en image, de s'institutionnaliser, d'entretenir des réseaux avec les anciens militaires. Avec la présence d'un régiment d'infanterie de marine (RIMa) sur la commune, Fréjus est une ville d'armes. Le maire n'a pas d'anciens militaires dans son équipe. Mais il va puiser dans cet électorat. Beaucoup de cocktails ou de réceptions avec le maire sont organisés au camp du RIMa. Ces militaires sont contents d'être considérés. Élie Brun, sous la précédente mandature, avait abandonné ce corps. Et, pour beaucoup d'entre eux, l'idéologie portée par l'extrême droite n'est malheureusement pas un problème.

Être « fier » du drapeau tricolore et le porter haut et fort ne suffit pas à être « patriote ». L'extrême droite s'est accaparé nos couleurs nationales. C'est un vol. Et malheureusement, une des mauvaises surprises de l'arrivée du Front national à la mairie de Fréjus a été ces drapeaux bleu-blanc-rouge que nous avons vus fleurir aux balcons la semaine suivant l'élection de David Rachline. C'était une manière de subtiliser à la communauté nationale l'identité française en balançant à la face des républicains : « Ça y est, on a gagné, on est fier, ici c'est la France. » Lorsque l'on voit ces drapeaux se multiplier aux fenêtres d'une commune parce que le FN a été élu, le sang se glace... Les socialistes n'ont plus de complexe à sortir le dra peau, chanter *La Marseillaise.* Et à en être fiers. Avec la Révolution française et ce qu'ils représentent, ces symboles font partie de l'héritage de la gauche et ne peuvent être confisqués par l'extrême droite. La gauche n'a pas à rougir de se déclarer « patriote ». En tant qu'élue régionale, j'ai participé à toutes les commémorations. J'ai aussi été la seule à porter un projet pour que l'histoire militaire de notre ville soit expliquée et transmise aux élèves, que cette histoire fasse partie d'un parcours éducatif. Les drapeaux tricolores ont fleuri d'un côté, quand de l'autre le FN décidait d'ôter le drapeau européen du fronton de l'hôtel de ville. L'extrême droite se dit « française avant tout » quand nos couleurs, à gauche, sont tricolores et européennes.

XI

Fils de France

Lorsque je me suis lancée en politique, j'avais 19 ans. J'ai fait partie de cette génération qui est descendue dans la rue au lendemain du 21 avril 2002. Celle qui a manifesté aux cris de « NON à Jean-Marie Le Pen » et « La jeunesse emmerde le Front national ». Je ne suis pas sûre que les plus jeunes d'aujourd'hui nous imiteraient si Marine Le Pen arrivait un jour au second tour de la présidentielle. Malheureusement, je pense même qu'une partie de cette nouvelle génération souhaite une victoire de l'extrême droite.

*

Pendant la campagne des municipales, j'ai eu un vrai choc. Un épisode très violent pour l'ancienne militante étudiante que je suis. C'était à la sortie d'un lycée à Fréjus. Depuis quelque temps, les jeunes de mon équipe de campagne me racontaient que l'ambiance devenait très tendue à l'intérieur des établissements. Nous avions alors choisi de faire un document de campagne spécifique en direction de la jeunesse. Il proposait entre autres aux jeunes de s'investir dans la vie locale, et des aides pour passer leur permis de conduire ou trouver un logement. Mais les élèves rencontrés devant les grilles du lycée s'en fichaient. Lorsque nous leur tendions les tracts, ils nous répondaient : « Non, moi je suis pour le FN. » Ou bien : « Le FN n'a pas mis la France dans la merde comme les autres. L'avenir c'est le FN. Le changement c'est le FN. » Pourquoi cette confiance en Marine Le Pen et, ici, David Rachline ? « Parce qu'il y en a marre des Arabes. Ils foutent le bordel dans ma classe. » Sans aucune retenue, ces jeunes-là affichent leur adhésion idéologique aux idées portées par le FN. Comme un étendard. J'ai été sidérée par ces phrases entendues devant ce lycée. Désarmée. Je ne m'attendais pas à découvrir dans cette jeunesse une telle affirmation du racisme et des idées d'extrême droite. Cette réalité, nous pouvions déjà la connaître au travers des enquêtes d'opinion. Sans vraiment y croire à vrai dire… Mais ce soutien d'une partie de la jeunesse au Front national est réel. Pourtant, à Fréjus, la seule proposition faite par le FN pour les jeunes durant la campagne municipale a été de… rouvrir une boîte de nuit. L'adhésion de cette génération au Front national ne repose pas sur les propositions que David Rachline a pu faire pour la ville mais sur le discours tenu à l'échelle nationale par Marine Le Pen. Comme beaucoup de leurs aînés, ces jeunes pensent aussi qu'eux et leurs parents « donnent » quand « d'autres profitent ». Pour eux, le « changement de société », c'est le FN.

Pour moi, cette jeunesse est réactionnaire. Elle a manifesté contre le mariage pour tous. Elle se fiche de l'Europe, ne rêve pas d'Erasmus ou d'échanges culturels. Ces jeunes-là veulent rester à Fréjus. Entre eux. Ils ne veulent pas vivre avec ces autres jeunes trop « basanés » qui les font « chier » en classe. Pourtant, leurs concitoyens issus de l'immigration n'arrivent souvent pas jusqu'au lycée ici. Les trois quarts sortent du système scolaire classique à la fin du collège. Les autres partent en lycée professionnel. Pour cette jeunesse de Fréjus sensible aux idées de repli sur soi et de « préférence » portée par le FN, cette attitude est un simple refus de l'« autre », de l'ouverture. Pourtant, eux et leurs parents vivent justement grâce aux étrangers. Qui a construit leurs maisons ? Qui sont ces touristes qui viennent faire tourner l'économie locale l'été ? Les étrangers sont acceptés à condition qu'ils retournent chez eux.

En plus des jeunes, David Rachline a eu le souci de structurer une partie du monde enseignant. Il a tenté d'implanter le premier « comité Racine » du FN dans les salles de prof. Aujourd'hui, des enseignants de Fréjus ont basculé au FN et ne s'en cachent pas. La dédiabolisation fonctionne là aussi : chez les directeurs, les enseignants, en plus du personnel technique, la parole se libère. D'autres professeurs, de gauche, témoignent de l'affirmation des idées d'extrême droite chez leurs collègues et les élèves. Tous les jours, ils doivent faire face à des propos homophobes, racistes et haineux entendus en classe. Certes, pour ces jeunes qui n'ont connu que la crise, l'avenir sera difficile, notamment l'accès au premier logement et à l'emploi. Pourtant, beaucoup d'entre eux sont issus de familles multipropriétaires, dont les parents sont dans les affaires, dirigent des sociétés... Ils n'ont pas de difficultés matérielles. Mais ils voient dans le FN une protection de leur situation. À côté de cette jeunesse aisée qui vote FN par peur du déclassement, le parti de Marine Le Pen trouve à Fréjus une écoute auprès de jeunes en apprentissage, peu diplômés, peu formés et sensibles aux idées simplistes de l'extrême droite. Les mouvements de jeunesse, les associations ou les partis de gauche ont du mal à s'adresser à eux. Cette décrépitude des organisations collectives laisse la place au FN, avec d'abord un discours qui vise l'individu afin, par la suite, de recréer chez ces jeunes un sens collectif. La gauche est en train de perdre la bataille auprès d'une nouvelle génération de plus en plus dépolitisée. Le bulletin de vote de la jeunesse a été, en 2014, pour le Front national. Quand on sait que le premier vote détermine souvent le vote de toute une vie, c'est une alerte.

À Fréjus, l'âge de David Rachline le rapproche aussi de ces jeunes. Le maire a 26 ans. Durant la campagne, il faisait la tournée des bars et se disait souvent « fier » de ne pas avoir de diplôme. Quand j'étais plus jeune, je voulais croire en des gens qui portaient des valeurs d'émancipation, de dépassement. Lui, c'est l'inverse : il fait un pied de nez aux élites. Et ça marche. Il est vu comme un « méritant », victime des « élites » de droite et de gauche qui le méprisent… D'ailleurs, la gauche ne s'en sortira pas uniquement en traitant les électeurs FN de « racistes », ou les plus en difficulté d'« illettrés ». Il faut totalement repenser notre discours à la jeunesse, laquelle était la priorité affichée par François Hollande pour ce quinquennat. La gauche a fait déjà beaucoup de choses pour les nouvelles générations. Les emplois d'avenir, un budget de l'Éducation nationale en hausse, des moyens pour le service civique… ce sont des réformes qui vont marquer notre société. Lorsqu'on décide d'envoyer un tiers de sa jeunesse faire un service civique, on donne du sens à l'engagement pour son pays. Lorsque le budget de l'Éducation nationale devient, en 2015, le premier budget de l'État, on fait le choix de l'avenir. Mais allons plus loin. Pourquoi ne propose-t-on pas que le service civique soit bonifié en unités d'enseignement dans le cursus universitaire ou professionnel, afin de pousser davantage de jeunes à s'engager dans cette voie ? Pourquoi ne pas instaurer un service républicain qui permette à la jeunesse de se rencontrer ? Et puis, dans les collectivités que nous dirigeons, nous répondons aussi aux aspirations de la jeunesse. Pourtant, nous ne donnons pas assez le sentiment de nous adresser à elle, de lui faire de la place. Nous ne sommes plus capables, par exemple, de montrer que nous sommes indignés. Peut-être avons-nous beaucoup trop sous-traité cette question aux organisations de jeunesse. À l'inverse, le FN a fait de la nouvelle génération une force importante de sa propre organisation.

Certes, au Parti socialiste, nous avons beaucoup de jeunes. Que ce soit dans nos sections ou bien au sein du Mouvement des jeunes socialistes. Mais les prend-on assez en considération ? Le Front national les bichonne, les met en avant. Depuis son élection, David Rachline leur organise des visites à Fréjus. Lors d'un conseil municipal début novembre, j'avais par exemple devant moi dix ou douze jeunes entre

17 et 21 ans. Tous très pro-Rachline. Ils n'étaient pas de Fréjus. J'ai alors envoyé un tweet : « Voyage initiatique de jeunes à Fréjus. Le FNJ se forme. » L'un d'entre eux m'a répondu : « Oui ! On y était. On a dérangé Mme Di Méo. » Faire venir leurs jeunes militants dans les collectivités qu'ils gèrent désormais, cela fait partie intégrante de la formation FN. C'est aussi de cette manière qu'ils musclent leur appareil politique. Ces jeunes viennent apprendre, voir comment on fait. Non seulement cela construit un appareil local et national mais cela installe également une cohésion de groupe. Ces jeunes sont hébergés chez d'autres militants, passent ensemble une soirée sur la côte… C'est une vraie école.

Fréjus a d'ailleurs été choisi par le FN comme ville organisatrice de l'université d'été 2014 du Front national de la jeunesse. Fin septembre, nous avons vu arriver un nombre impressionnant de belles berlines aux vitres teintées, immatriculées 75, 92, 93. La presse a raconté qu'il y avait huit ou neuf cents jeunes. Ils étaient à peine plus d'une centaine. Le reste était surtout des militants locaux. Pas forcément jeunes d'ailleurs… Et si les médias se sont focalisés sur les tables rondes qui concernaient l'économie, les débats posés par la soi-disant « nouvelle génération » étaient tout ce qu'il y a de plus classique à l'extrême droite : immigration et sécurité. David Rachline leur a fait ensuite un beau cadeau : plutôt que d'organiser sa soirée « Neon Splash » lorsqu'il y a du monde à Fréjus, c'est-à-dire l'été, il l'a fait ce week-end-là, quand la jeunesse FN de France était en ville. Le principe de cette soirée était simple : une boîte de nuit à ciel ouvert dans les arènes de Fréjus. Les jeunes étaient habillés en blanc et se sont jeté de la peinture fluorescente jusqu'à 4 heures du matin.

Privilégier l'événementiel aux dépens du culturel dans un lieu archéologique : qu'en pensent aujourd'hui les puristes de la préservation de ce monument romain fréjusien ? Avant même le début de la campagne municipale, David Rachline se plaignait pourtant du « massacre » des arènes. L'ancien maire avait entrepris leur rénovation. La levée de bouclier des plus réactionnaires, FN en tête, avait été unanime. L'extrême droite locale s'était faite alors l'apôtre de la préservation du patrimoine et de l'histoire locale. Rien de concret tandis que, de notre côté, à gauche, nous avions mobilisé les services de la Région, son vice-président à la Culture… Mais après avoir passé des mois à dire que les arènes étaient défigurées, David Rachline, une fois élu, n'en a plus parlé. Rien n'a été fait par le nouveau maire pour valoriser le patrimoine de la ville. Rien sur l'abandon du pôle départemental archéologique. Son équipe aurait pu utiliser les nouveaux rythmes scolaires pour faire découvrir le patrimoine de notre ville aux enfants... Mais non. L'identité locale n'est qu'un slogan de campagne. Ces arènes, il ne les a utilisées que pour cette soirée « jeunes ».

L'événementiel et le festif pour s'adresser aux 18-30 ans : David Rachline sait faire. Et grâce aux réseaux sociaux, il sait aussi toucher cette génération. Ses proches ont créé plusieurs pages Facebook liées à des « événements » sur Fréjus. Mais derrière, il s'agit en fait de parler du maire lui-même ou de ses proches. Cela lui permet aussi d'avoir, le moment venu, une liste d'« amis » auxquels il peut envoyer sa propagande électorale. Des électeurs qui valent cher : ils votent pour la première fois.

Les jeunes du FN sont particulièrement violents sur les réseaux sociaux. Leur responsable local a ainsi accueilli le communiqué de presse de notre secrétaire de section se félicitant de l'annulation de l'arrêté suspensif des travaux de la mosquée : « La procédure n'est pas terminée puis au final c'est toi qu'on verra attacher [sic] aux roues des bulldozers qui démolieront [sic] ce bâtiment. » La menace et l'intimidation en lieu et place du débat politique.

Peut-on aujourd'hui acter le fait que la gauche ait perdu la bataille de la jeunesse ? Non. À Fréjus, cela fait quinze ans que nous sommes en lien avec les mouvements de jeunes. Notre nouvelle secrétaire de section a 19 ans. Mais il est vrai qu'au PS, contrairement au FN où ils sont promus, les jeunes se heurtent à des logiques d'appareil. Nous ne leur faisons pas assez de place. Nous aimons bien les avoir dans nos fédérations à condition qu'ils n'en demandent pas trop et acceptent d'aller coller des affiches le soir et de se lever le samedi matin pour distribuer des tracts sur le marché. Nous ne leur offrons rien en échange. Pas même de la formation. Pour beaucoup de responsables socialistes, avoir des jeunes dans une organisation, c'est davantage une difficulté qu'un atout. J'ai 33 ans, mais lorsque, à 26 ans, j'étais tête de liste aux municipales de 2008, un cadre du parti m'a sorti : « Tu as trois handicaps : tu es une femme, tu es jeune et tu es mariée avec un Maghrébin. » J'avais pourtant le même âge que David Rachline lorsqu'il a été élu maire en 2014. À l'époque, on ne m'a pas déroulé le tapis rouge comme le FN l'a fait pour lui. Au contraire. J'ai dû gagner ma place. Ma jeunesse était une menace pour certains responsables locaux de mon parti. À l'opposé, le FN a fait de sa jeunesse une force. Un moyen de prouver, en installant ses nouveaux visages en tête de gondole médiatique, qu'il a « changé ».

Pour moi, cette prétendue « rénovation » du FN version « bleu Marine » est une autre supercherie. D'abord parce que les cadres qui tiennent les manettes sont toujours les mêmes. Et que les nouveaux sont formés à l'ancienne. Ensuite, parce que la mise en avant de ces nouveaux visages répond à une stratégie scénarisée : David Rachline joue le rôle du descendant de famille juive, le maire d'Hayange, Fabien Engelmann, est le jeune syndicaliste de gauche devenu « bleu Marine », Marion Maréchal-Le Pen, la gentille étudiante en droit devenue députée et jeune maman est la descendante du clan familial... Le casting est parfait. Ces représentants du « nouveau FN » prétendent « bousculer » la République : la plus jeune députée, le plus jeune sénateur de la Ve République, qui fait aussi partie des plus jeunes maires de France... Sur la scène du petit théâtre de la politique française, ils ont une place identifiée pour les médias. « Au FN, on fait confiance aux jeunes qui viennent taper à la porte, alors qu'au PS on ne trouve que des "vieux croûtons" » : voilà ce que j'ai aussi pu entendre devant un lycée de Fréjus. Ce décalage de conception n'est pas uniquement dû au fait que les gens, au PS, veulent garder leur place et voient l'arrivée de jeunes comme une concurrence. C'est aussi une vision du « sérieux » en politique. Au PS, il faut d'abord gagner ses galons pour ensuite avoir le droit d'être élu. C'est avoir un mentor, devenir son assistant parlementaire, et peut-être, un jour, ce « parrain » laissera-t-il sa place. Et plus on attend, moins la relève est jeune...

Pire encore, une certaine jeunesse maltraitée par la société trouve sa place au FN, une reconnaissance, et s'y dessine un avenir. Chez Marine Le Pen, on se permet de jouer sur l'ambition des jeunes. Au PS, cette ambition, il faut l'étouffer. Dans son livre *20 ans et au Front*[1], la journaliste Charlotte Rotman décrit très bien ce parrainage des jeunes pousses FN par des cadres du parti. Je n'ai aucun souvenir d'avoir été accompagnée en douze ans au PS. J'ai eu de temps en temps des échanges de fond avec certains responsables. Mais pas plus. Certes, on me répondra que ce n'est pas notre conception de l'autonomie des militants. Je ne demande pas que l'on réfléchisse à ma place mais que l'on m'aide à m'interroger sur ce que je fais. Au PS, il vaut mieux se bunkériser dans sa section, son secteur, son territoire. Le sentiment d'appartenance, notamment en province, finit par devenir uniquement local, et non pas national. Notre énergie, nous l'utilisons davantage dans nos combats internes permanents plutôt que dans l'action contre la droite et l'extrême droite.

Peut-être aussi que le PS s'est trop intellectualisé. Après 2007, je me suis moquée du côté incantatoire de la « Fraternité » de Ségolène Royal. Mais il y avait du juste dans ce qu'elle portait : nous devons redonner un certain souffle à la camaraderie dans notre parti. Différente, bien sûr, de celle du FN : une vision

1. Charlotte Rotman, *20 ans et au Front*, Robert Laffont, 2014.

ouverte, égalitaire, collective, laïque et républicaine. Pour entraîner des jeunes à rejoindre le PS, il faut leur proposer de l'engagement, du plaisir à militer, un lieu de vie commun et de la formation. Nous devons nous astreindre à ce travail d'introspection. Nous ne devons pas seulement être dans le symbole d'une nouvelle génération au pouvoir parce que quelques ministres ont moins de 40 ans (et tant mieux). Si nous nous contentons de cela, nous allons mourir. N'oublions pas que ces jeunes qui ont voté FN pour la première fois en 2014 pourraient voter « bleu Marine » toute leur vie. Si encore ils avaient basculé, nous pourrions nous dire qu'ils en reviendront. Mais non. Nous sommes dans une vraie adhésion aux idées d'extrême droite. Elle est idéologique. Elle s'enracine. La course de vitesse est lancée et nous avons une longueur de retard.

XII

Manèges médiatiques

La première fois que j'ai vu une équipe de télévision nationale en reportage à Fréjus pour couvrir l'élection municipale, c'était en septembre 2013. Ces journalistes de France 3 ont été les premiers d'une longue série à venir ici observer comment une ville allait « tomber » aux mains du Front national, fascinés par ce FN « new-look » que David Rachline était censé incarner. Une partie des médias se fait manipuler par le Front national. Et, pire, l'accepte.

*

Pourquoi cette équipe de France 3 a-t-elle décidé de venir ce jour-là à Fréjus ? Pour le lancement de campagne de David Rachline. Le sujet du reportage ? « David Rachline soulève un lièvre sur la construction de la mosquee à Fréjus. » À aucun moment, l'équipe ne s'est renseignée sur le fait que ce projet était connu depuis 2011 et que David Rachline avait tranquillement laissé dormir ce prétendu « lièvre »... Pourquoi, à l'époque, cette même équipe ne s'est-elle pas intéressée au sondage qui donnait alors la gauche en tête au premier tour[1] ? Il y avait pourtant une « info » puisqu'il s'agissait d'une première dans une ville de droite comme Fréjus...

Ces journalistes, comme d'autres, se sont livrés à une certaine forme de prophétie auto-réalisatrice. Depuis Paris, ils demandaient aux dirigeants du FN de leur faire une liste des villes où l'extrême droite pouvait gagner des mairies en mars 2014. Et ils s'y rendaient en ayant tous écrit le même scénario : la victoire du FN. Ces mêmes journalistes, à part ceux du *Canard enchaîné* et quelques autres, ne s'étaient jamais intéressés à l'affairisme local, au clientélisme, à ce terreau si fertile à l'éclosion du Front national. David Rachline s'est prêté à merveille à ces petits manèges médiatiques. Ce FN qui dit être maltraité par les médias « bien-pensants » a été à l'honneur sur les chaînes d'information en continu. D'autant plus lorsqu'en février 2014 un autre sondage le place à

1. Sondage CSA pour *Nice Matin* réalisé les 3 et 4 juin 2013 par téléphone auprès de 500 personnes.

37 % au premier tour[1]. À partir de là, la ville a connu une frénésie médiatique comme elle n'en avait jamais vécu. Deux mois avant l'élection municipale, j'avais vingt-sept rendez-vous presse inscrits à mon agenda. C'était un rouleau compresseur... La question de la mosquée a même fait l'ouverture du 20 heures de France 2. C'est à cette occasion que nous avons compris le professionnalisme de Marine Le Pen. Résultats électoraux des législatives précédentes à l'appui, elle guidait les journalistes. « Allez voir là-bas, on a un candidat qui va gagner », leur disait-elle. Puis les caméras déboulaient sur place, plaçaient David Rachline au centre de leurs reportages et la gauche avait à peine droit à la parole. Fréjus était un objectif du FN, alors il fallait aller filmer sa « chute ». Au bout d'un moment, j'ai répondu aux journalistes qui me sollicitaient qu'ils participaient eux-mêmes à la stratégie de conquête du pouvoir de la famille Le Pen. Ça ne leur plaisait pas mais c'était ainsi, ils venaient à chaque fois faire les mêmes sujets : il fallait « illustrer ce "nouveau" FN, la jeunesse de son candidat ». Pas une seule fois n'était évoqué le fait que la gauche faisait aussi le pari de la jeunesse avec une candidate de 33 ans. Ça ne collait pas avec l'image nationale d'un PS qui partait à

1. Sondage Ifop pour i-Télé et *20 minutes*, réalisé par téléphone du 19 au 20 février 2014 auprès de 502 personnes.

la bataille municipale avec des sortants. Ça ne collait pas avec « l'angle » que les directions de rédaction, à Paris, attendaient de leurs reporters.

Pourtant, je n'ai pas été surprise de ce cirque médiatique. Nous avions pu l'observer quelques kilomètres plus au nord, à Brignoles, dans le Var, lors de la cantonale partielle remportée par le FN en octobre 2013. Dans une tribune publiée dans *Libération*[1], j'avais déjà dénoncé, avec mon camarade varois Cédric Omet, le fait que « peu de médias font réellement cas de la réalité locale ». « Nombreux sont ceux qui s'engouffrent dans des analyses prémâchées visant à satisfaire des tentatives d'esquives nationales et des formules toutes faites afin d'alimenter la polémique sur les plateaux TV. Plus qu'une déferlante frontiste, ce que nous voyons depuis des semaines sur notre territoire est une déferlante médiatique sans précédent. Une question nous taraude : qui est l'idiot utile de l'autre ? » Nous avions alors vécu cette frénésie des journalistes et cette désinformation souhaitée par le FN. À l'époque, le candidat FN Laurent Lopez était présenté comme un « jeune cadre dynamique tout frais » alors qu'il était collaborateur de groupe FN de Jean-Marie Le Pen à la région PACA depuis des

1. « Brignoles : "La force de notre colère est immense" », *Libération*, 14 octobre 2013.

années. À Fréjus, en mars 2014, c'était la même spirale. D'abord, les médias se sont intéressés à l'élection municipale au travers du dossier de la mosquée. Exactement ce que voulait David Rachline. Le sujet était vendeur pour les rédactions à Paris. Ils avaient ainsi à l'écran un face-à-face entre le FN et les musulmans. Forcément une belle histoire à mettre en images sans se poser de questions. Le pitch était tiré du scénario dicté par le FN : cette mosquée était un projet « tout neuf » et « caché » que le FN dénonçait. Peu importe si, en réalité, l'origine du projet datait d'il y a dix ans et qu'il ait été abordé en conseil municipal dès 2011, en présence de David Rachline. Personne ne prit le temps de vérifier ce que racontaient les responsables FN. Ces mêmes médias avaient ensuite une autre histoire à raconter : le parcours d'un « futur jeune maire », exemple de cette nouvelle « génération bleu Marine » promue par la nouvelle présidente du Front national. Et peu importe là encore si David Rachline est plus proche de Jean-Marie Le Pen – donc du vieux FN – que de sa fille… Ces médias-là ne s'intéressaient pas au « projet » du FN pour Fréjus mais voulaient réaliser une démonstration de la « transformation » du Front national. Exactement les souhaits de sa communication. À la fin de leurs reportages, ces mêmes médias me donnaient la parole pour… commenter le FN.

Durant toute cette période, le pire était de voir David Rachline en guide touristique électoral sur les marchés, suivi de deux ou trois caméras chaque week-end. Entre les étals, on entendait : « Mais c'est qui la star qui est suivie par les télés ? Je l'ai pas vue… » Ou encore : « Il doit être important alors ce gamin. C'est lui qui va gagner. » Je reste persuadée que le climat médiatique créé à Fréjus pendant la campagne est en partie responsable de la victoire du Front national. Il faut reconnaître à David Rachline un certain savoir-faire de mise en scène. Je m'y suis refusée. Peut-être à tort. Le futur maire a ainsi été un très bon produit pour les télés, le candidat idéal du système médiatique. Alors quand j'entends encore le Front national se plaindre d'être « victime » des journalistes…

J'ai expliqué à la direction du PS que nous avions besoin de soutien, d'être épaulés dans ces endroits où le FN mettait le paquet médiatique autour de ses candidats. On m'a répondu qu'il s'agissait d'une élection locale et qu'on ne voyait pas ce que le national pouvait « venir faire là-dedans ». Pourtant, j'ai vu ce que la direction nationale du FN « venait faire là-dedans ». Elle a aidé David Rachline à monter sa campagne médiatique, relayé sa parole sur les réseaux sociaux, mis en images son *storytelling*, utilisé son fichier national de journalistes pour offrir « clé en main » des sujets à des médias parisiens friands de nouvelles histoires sur le FN et, à la fin, séduits par la personnalité de David Rachline.

Mais une fois installé dans le fauteuil de maire, les réflexes de l'extrême droite sont revenus. Le soir de son élection, David Rachline a d'abord refusé à un journaliste de *L'Express* d'assister à sa conférence de presse. Puis, en conseil municipal, c'est le magazine local *Le Ravi* qui s'est fait sortir alors que les débats sont censés être ouverts à tous. Mediapart a ensuite été interdit de présence aux universités d'été du FNJ à Fréjus, et d'autres médias nationaux venus enquêter sur la gestion locale de David Rachline ont été privés d'interviews ou d'accès à des conseils de quartier. Ceux qui, avant son élection, étaient vus comme des alliés pour démontrer que le FN avait « changé » ne sont plus les bienvenus aujourd'hui lorsqu'ils veulent le juger à l'aune de sa gestion locale. Maintenant qu'il a été élu, David Rachline ne veut plus voir ceux dont il s'est servi. Sauf pour quelques portraits dans son bureau. Et, sous couvert d'économies à réaliser pour la médiathèque, les abonnements à *Libération* et au *Figaro* ont tout simplement été supprimés en décembre 2014. Après avoir conquis une dizaine de municipalités, Marine Le Pen a aussi protesté contre ces journalistes pour qui « les villes FN sont des zoos[1] ». Pourtant, avant que les siens

1. *Des paroles et des actes*, France 2, 10 avril 2014.

prennent possession des mairies, ça ne la dérangeait pas que ces mêmes journalistes débarquent dans nos villes comme dans un cirque.

La situation est encore plus compliquée avec la presse locale. Pendant la campagne, les journalistes de *Var Matin* nous faisaient part d'appels incessants de David Rachline ou de son représentant en communication, un ancien journaliste de chez eux. Sous leurs pressions, *Var Matin* traitait tous les sujets « Rachline ». Comme aujourd'hui. Mais pourquoi ne pas s'insurger des propos tenus par le maire et du choix de mettre fin à une convention avec un centre social parce que sa directrice a parlé à la presse ? Pourquoi ne pas avoir eu le courage d'un éditorial ou d'un billet d'humeur dont les journalistes sont pourtant si friands lorsqu'il s'agit du gouvernement ou bien des politiques ? En novembre, j'ai trouvé ce titre dans *Var Matin* : « David Rachline diminue ses indemnités. » Mais pourquoi le maire a-t-il rendu une partie de son salaire à la collectivité ? Parce que la loi l'y a obligé ! Devenu sénateur, ses indemnités sont écrêtées lorsqu'elles dépassent un certain montant. Et qui a décidé de cette règle ? Les socialistes ! Mais ça, dans son titre, *Var Matin* ne l'a pas précisé. Ils m'ont expliqué que j'étais donneuse de leçon. Peut-être… Mais ils ne peuvent pas eux-mêmes donner des leçons aux politiques et ne pas accepter qu'on les mette face à leurs responsabilités dans la manière dont ils ont traité le FN dans les premiers mois du mandat David Rachline. Car le quotidien s'est montré clément à son égard jusqu'à début janvier 2015. Dans un billet, le journal a alors dénoncé l'attitude de l'équipe du maire. Un photographe du journal qui sollicitait une autorisation pour prendre des photos dans un centre social de Villeneuve pour illustrer un sujet a reçu en guise de réponse par le service communication de la Ville · « Si le sujet est polémique, pas de photo. Sinon c'est OK. » *Var Matin* se réveille enfin : « Étrange pour une municipalité qui avait fait de la transparence l'un de ses engagements de campagne. » L'épisode s'étant déroulé quelques jours après les grands rassemblements de soutien aux victimes des attentats de Paris, *Var Matin* a ainsi critiqué Rachline : « Il est bien noble d'organiser de grands rassemblements en hommage aux victimes de *Charlie Hebdo*, et de prétendre défendre donc, la liberté de la presse. Mais encore faut-il aller au bout de ce raisonnement. » Il n'empêche, depuis que David Rachline est installé, les enquêtes sur sa gestion locale peinent à être traitées par le quotidien. Les premiers scandales sont sortis dans des médias nationaux et *Var Matin* en a très peu parlé. Je l'ai clairement fait remarquer à l'ancien chef de l'agence de Fréjus : ce qui intéresse la presse locale, c'est de pouvoir vendre du papier pendant six ans parce que le FN est en mairie. Pas d'enquêter sur lui. Par ailleurs, pour moi qui ne suis plus élue municipale, le droit à l'expression de la gauche dans le seul et unique quotidien local est devenu une bataille quotidienne.

Alors oui, quelques médias nationaux ont identifié notre combat sur Fréjus. Le fait d'être depuis 2012 une responsable du PS au plan national me permet aussi de rattraper ce retard médiatique. Mon parti me fait confiance. Il m'offre des possibilités d'informer à Paris sur ce qu'il se passe à Fréjus. Et puis l'entre-deux-tours de la municipale, mes larmes et les journalistes venus couvrir le FN à Fréjus font qu'aujourd'hui certains médias ont en tête qu'il y a au PS une femme qu'on peut aller voir lorsqu'on a besoin d'une interview sur l'extrême droite. Un jour, un camarade en manque de lumière m'a carrément sorti : « Tu as de la chance, ça va te donner une visibilité politique et médiatique. » Je lui laisse ma place quand il veut.

XIII

À LA GAUCHE DE RÉPONDRE

La gauche a peut-être trop longtemps sous-traité la question de l'extrême droite aux organisations antiracistes dont c'était la spécialité. J'en suis moi-même un produit. Mais le Front national n'est plus cette « bête immonde » qu'il faut faire fuir une fois tous les dix ans. C'est devenu un adversaire récurrent. On ne peut pas théoriser la question du « tripartisme » comme le font aujourd'hui de nombreux responsables socialistes et laisser de côté la question de comment combattre le Front national.

En août 2013, le premier secrétaire du PS de l'époque, Harlem Désir, avait mis à l'agenda de l'université d'été de notre parti la question de « l'extrême droite et la droite extrême ». Quelques semaines après, j'aborde avec son cabinet les mêmes sujets, et concrètement : comment travailler sur le FN. Je leur expose mes problèmes à Fréjus et leur demande de l'aide. Je recherchais du soutien pour professionnaliser nos cadres, nos militants, les former. Je souhaitais pouvoir m'appuyer sur le service de presse de la rue de Solférino pour avoir accès aux médias à Paris, comme David Rachline y avait accès grâce à Marine Le Pen. Leur réponse : « Ça va, on ne va quand même pas te faire ta campagne depuis Paris. » Ce n'est évidemment pas ce que je demandais. La direction de l'époque n'a pas mesuré l'enjeu. Durant ma campagne, j'ai tout de même reçu le soutien de Manuel Valls pour une réunion publique. Le PS avait fourni le service d'ordre pour encadrer la visite du ministre de l'Intérieur d'alors et futur Premier ministre.

Jusqu'aux municipales, les socialistes étaient dans l'incapacité de répondre aux besoins de ses militants sur le terrain. Il était difficile de faire accepter l'idée que parler du FN ce n'est pas lui faire de la publicité, mais la condition première pour pouvoir le combattre. J'entends des amis de gauche me dire : « Parlons de nous avant de parler du FN. » Mais l'un n'empêche pas l'autre ! On peut porter une identité socialiste forte et parler du Front national. L'extrême droite aime l'ombre. Mettre en lumière ce qu'ils sont et ce qu'ils proposent ce n'est pas les crédibiliser mais les obliger à se positionner, à dire qui ils sont vraiment, à dévoiler leurs supercheries et leurs mensonges. Si nous ne qualifions pas ce qu'ils sont, nous avons perdu le combat. Il faut arrêter d'opposer « combat moral » et « bataille argumentée » face au FN. Il faut rappeler que ce parti n'est pas une formation politique comme une autre de par son histoire et les propositions antirépublicaines qu'elle porte, mais il faut également contrer point par point les mesures que ses dirigeants proposent, afin d'en souligner l'incohérence et la dangerosité. Aujourd'hui, j'espère ce cap franchi au sein de mon parti. Si le paysage politique est tripartite, alors notre adversaire direct n'est pas seulement la droite mais aussi l'extrême droite. Il faut donc revoir notre arsenal de défense.

C'est ce que nous tentons de faire, avec une autre secrétaire nationale, Sarah Proust. À l'appui des réalités territoriales, nous essayons de mettre ce sujet à l'agenda des militants socialistes et de notre formation politique. Le travail est vaste. Il faut tout à la fois donner des outils internes et riposter à l'extérieur. Combattre une idéologie en la démasquant sans cesse. Nous tentons de mettre la lumière sur la réalité des villes FN tout en donnant aux militants locaux les outils pour construire leur stratégie locale. Je suis persuadée que c'est en partie par ce travail que nous pourrons éviter le pire pour 2017. Chaque grain de sable mis dans le dispositif de Mme Le Pen peut contribuer à enrayer la machine.

Sommes-nous les premiers responsables ou bien considère-t-on que d'autres phénomènes sont à l'œuvre dans cette montée de l'extrême droite ? Je rappelle une chose : en 2011, lorsque Nicolas Sarkozy est au pouvoir, les élections cantonales sont un succès pour le FN. Ne nous trompons pas d'analyse aujourd'hui, évitons de faire les mêmes erreurs qu'en 2002. Oui, nous avons notre part de responsabilité dans l'augmentation des scores du FN : notre électorat est démobilisé pour cause de déceptions et de manque de résultats. Mais ce n'est pas la seule raison. Sous Lionel Jospin, la gauche a créé un million d'emplois, mais à la fin, elle est devancée par Jean-Marie Le Pen. Je crois, hélas, à un vote FN par adhésion. Si la gauche obtient des résultats avant 2017, je ne suis pas sûre que nous aurons moins de votes FN à la présidentielle. Aujourd'hui, il y a un problème d'appartenance collective, de croyance en l'avenir chez nombre de nos concitoyens. Sur le terrain, nos militants sont tétanisés par cette nouvelle donne. Les états-majors aussi. La réplique du 21 avril qui s'annonce paralyse la gauche. Reparlons d'État, de puissance publique, du modèle de société que nous voulons défendre. Allons sur ces terrains qui sont les nôtres et nous réussirons à contrer le FN.

La « génération 21 avril » porte une responsabilité. Beaucoup d'entre nous se sont engagés au Parti socialiste après le choc de la qualification de Jean-Marie Le Pen au second tour de la présidentielle en 2002. Allons-nous laisser se renouveler le scénario avec sa fille en 2017 ? Ou bien allons-nous mener la bataille culturelle et politique ? Oui, nous sommes bien seuls face à cet enjeu. La droite a capitulé, les intellectuels restent muets. Il est du devoir de la gauche, PS en tête, de partir au combat. D'ici aux dix prochaines années, nous pouvons le remporter. En tout cas, j'y crois fermement.

Remerciements

Merci à Tarik, d'accompagner ma vie et nos combats communs, de partager les bonheurs et les épreuves, de rendre possible, de porter au quotidien notre militantisme.

Merci à ceux qui font que ce journal de bord n'est que ma part d'un combat collectif, Sébastien, Cédric, Gérard, Audrey, Fred, Michel, Clotilde et toute l'équipe fréjusienne de résistants d'hier et d'aujourd'hui.

Merci à Lilian d'avoir accepté ce projet qui sera, je l'espère, utile à la République que nous souhaitons.

Elsa Di Méo

Merci à l'équipe de Stock et particulièrement à Sylvie Delassus et Manuel Carcassonne d'avoir cru en ce projet, et à Émilie Pointereau pour ses relectures attentives.

Merci à Elsa de m'avoir fait confiance pour cette collaboration et accepté de livrer un témoignage important sans esquiver les remises en question d'une gauche en quête de renouveau.

Merci à Charlotte Rotman de nous avoir aiguillé et au service politique de *Libération* de m'avoir permis de travailler à la réalisation de ce livre.

Merci aussi à ceux qui connaissent la ville dirigée par l'extrême droite et savent combien ce combat n'est jamais terminé : à Isabelle, Jean-Pierre, Leslie mais aussi Arnaud, Loïs, Sarah, Farouk, Claire, Marie.

Merci enfin à Laure de me soutenir et m'encourager dans cet engagement commun : nous permettre de vivre dans une société plus ouverte et fraternelle.

Lilian Alemagna

TABLE

DANS LA MÊME COLLECTION

François Heisbourg, Après Al Qaida. La nouvelle génération du terrorisme, *2009.*

Denis Labayle, Pitié pour les hommes. L'euthanasie : le droit ultime, *2009.*

Jean Birnbaum, Les Maoccidents. Un néoconservatisme à la française, *2009.*

Nicolas Offenstadt, L'Histoire bling-bling. Le retour du roman national, *2009.*

Florence Noiville, J'ai fait HEC et je m'en excuse, *2009.*

Thomas Legrand, Ce n'est rien qu'un président qui nous fait perdre du temps, *2010.*

François Heisbourg, Vainqueurs et vaincus. Lendemains de crise, *2010.*

Sylvestre Huet, L'Imposteur, c'est lui. Réponse à Claude Allègre, *2010.*

Anne-Marie Thiesse, Faire les Français. Quelle identité nationale ? *2010.*

Martin Hirsch, Pour en finir avec les conflits d'intérêts, *2010.*

Christian Charrière-Bournazel, La Rage sécuritaire. Une dérive française, *2011.*

Martin Hirsch, Sécu : Objectif monde. Le défi universel de la protection sociale, *2011*

Nicolas Tenzer, La Fin du malheur français ? Un nouveau devoir politique, *2011.*

Élisabeth Weissman, Flics. Chronique d'un désastre annoncé, *2012.*

Clémentine Autain, Le Retour du peuple. De la classe ouvrière au précariat, *2012.*

Gilles Bernheim, N'oublions pas de penser la France, *2012.*

My-Kim Yang-Paya et Sonia Kanoun, Médicaments. La grande intox, *2013.*

Louis-Georges Tin, Esclavage et réparations. Comment faire face aux crimes de l'Histoire…, *2013.*

Martin Hirsch, Cela devient cher d'être pauvre, *2013.*

Thomas Legrand, Arrêtons d'élire des présidents !, *2014.*

Cet ouvrage a été composé
par Nord Compo à Villeneuve-d'Ascq (Nord)
et achevé d'imprimer en France
par CPI Bussière
à Saint-Amand-Montrond (Cher)
pour le compte des Éditions Stock
31, rue de Fleurus, 75006 Paris
en mars 2015

Stock s'engage pour l'environnement en réduisant l'empreinte carbone de ses livres. Celle de cet exemplaire est de :
450 g éq. CO_2
Rendez-vous sur www.editions-stock-durable.fr

Imprimé en France

Dépôt légal : mars 2015
N° d'édition : 01 – N° d'impression : 2014859
21-07-1119/5